Chères lectrices,

Que diriez-vous d'aller au bal ? Un bal masqué, qui plus est… Vous êtes partantes ? Alors ne manquez pas *Le bal des amants* (n° 2542), l'excellent roman d'Emma Darcy publié ce mois-ci dans la collection Azur. Vous découvrirez l'histoire de Katie et Carver, deux êtres passionnément amoureux qu'un malentendu tragique a séparés dix ans auparavant, et qui se retrouvent à l'occasion d'un bal costumé… Tous deux masqués, emportés par le rythme tourbillonnant de la musique, ils vont de nouveau succomber à la force irrésistible de leur désir sans même connaître leur identité.

Dans *Le bal des amants*, Emma Darcy revisite très habilement la scène du bal — morceau d'anthologie de nombreux romans et films d'autrefois (souvenez-vous de la magnifique valse du film *Le Guépard*). Elle nous montre que le bal, loin d'être désuet et dépassé, demeure le lieu privilégié de la rencontre amoureuse. Et même si, de nos jours, la valse n'est plus de mise, le bal reste un événement fascinant, qui ne cesse de nourrir notre imaginaire… pour le plus grand plaisir des romantiques que nous sommes !

Bonne lecture, et rendez-vous le mois prochain !

La responsable de collection

Une alliance en héritage

KAY THORPE

Une alliance en héritage

COLLECTION AZUR

*éditions*Harlequin

Cet ouvrage a été publié en langue anglaise
sous le titre :
THE BILLION-DOLLAR BRIDE

Traduction française de
FRANÇOISE PINTO-MAÏA

HARLEQUIN®

est une marque déposée du Groupe Harlequin
et Azur ® est une marque déposée d'Harlequin S.A.

Toute représentation ou reproduction, par quelque procédé que ce soit, constituerait
une contrefaçon sanctionnée par les articles 425 et suivants du Code pénal.
© 2004, Kay Thorpe. © 2005, Traduction française : Harlequin S.A.
83-85, boulevard Vincent-Auriol, 75013 PARIS — Tél. : 01 42 16 63 63
Service Lectrices — Tél. : 01 45 82 47 47
ISBN 2-280-20439-8 — ISSN 0993-4448

1.

Gina aperçut celui qui tenait un petit panneau à son nom, et se dirigea vers lui. Elle avait imaginé un homme plus âgé. Mais en réalité, Ross Harlow ne paraissait pas avoir plus de trente-cinq ans. Les traits rudes, le teint hâlé, il avait des cheveux d'un noir de jais, épais et impeccablement coupés. Il devait bien mesurer un mètre quatre-vingt-cinq, estima la jeune femme. Et son élégant costume de ville laissait deviner un corps bien charpenté.

Ses yeux gris la toisaient tranquillement, et brillaient d'une lueur indéchiffrable. Gina se sentit soudain intimidée, mais offrit sa poignée de main d'un geste vif. Des doigts longs et fermes serrèrent brièvement les siens, et un frisson tiède lui parcourut l'échine à ce contact.

— Je suis Gina. Bonjour. Comment va mon… grand-père ? demanda-t-elle d'une voix mal assurée.

Un muscle se tendit sur la mâchoire décidée de son interlocuteur.

— Du mieux possible, étant donné son état. Vous avez fait bon voyage ?

Elle opina silencieusement du chef, tandis qu'il baissait les yeux vers l'unique valise posée sur le chariot.

— Vous n'avez pas d'autres bagages ? s'étonna-t-il.

7

— Je n'ai pas prévu de rester longtemps, répondit-elle. D'ailleurs, si mes parents adoptifs ne m'avaient pas poussée à venir, je ne serais sans doute pas ici.

— Ils ont bien fait.

Les yeux verts de la jeune femme s'animèrent.

— Ce sont des gens merveilleux, vous savez.

Il haussa les épaules avec indifférence.

— Je n'en doute pas. Venez, ma voiture nous attend.

Sur ces mots, il s'empara de sa valise et, traversant le hall des arrivées à grands pas, se dirigea vers la sortie.

Son accueil laissait pour le moins à désirer, pensa-t-elle en se maintenant péniblement à sa hauteur. Mais dans une certaine mesure, elle comprenait ses sentiments. Elle était une Harlow, bien plus qu'il ne le serait jamais lui-même.

Une rutilante limousine noire était garée dans la zone d'arrêt-minute. Un chauffeur en uniforme en descendit à leur approche, et ouvrit la portière arrière pour Gina.

Avec l'agréable impression d'être reçue comme une reine, celle-ci se glissa sur la luxueuse banquette en cuir beige, ses pieds foulant un épais tapis. Ce n'était pas le genre de véhicule qu'elle aurait associé à un homme aussi viril que Ross Harlow ; mais qui était-elle pour juger ? Ce monde dans lequel elle pénétrait pour la première fois était totalement différent du sien.

Pendant que le chauffeur chargeait sa valise dans le coffre, Ross s'installa près d'elle et pressa un bouton. Un panneau vitré s'éleva, qui les isola du conducteur.

— J'ai cru comprendre que vous étiez vous-même un enfant adopté, déclara Gina d'un ton direct, tandis que la voiture démarrait.

Il acquiesça d'un hochement de tête.

— J'avais quatorze ans quand ma mère a épousé Oliver, et ma sœur, neuf. Il nous a donné son nom.

— Votre vrai père n'a pas fait d'objections ?

— Ma mère était veuve.

— Oh ! Je suis désolée.

— A quoi bon ? Oliver est un très bon mari, et un excellent père pour Roxanne et pour moi.

— Meilleur, certainement, qu'il ne l'a jamais été envers Jenny, sa propre fille, répliqua Gina d'un ton grave. J'ai appris qu'elle était décédée dans un accident de voiture. La lettre qu'Oliver m'a envoyée expliquait tout. C'est lui qui a insisté pour qu'elle m'abandonne à la naissance. Sa première femme — ma grand-mère — est morte un an après la disparition de Jenny. Deux ans plus tard, il épousait votre mère.

— Vous en parlez avec beaucoup de détachement, fit-il remarquer en la dévisageant avec curiosité.

— Je ne vois pas l'intérêt de pleurer sur une histoire vieille de vingt-cinq ans. Mes parents adoptifs sont des gens formidables, et je suis très heureuse avec eux.

— Si je comprends bien, vous saviez déjà que vous aviez été adoptée ? Vous avez dû vous poser souvent des questions sur vos parents biologiques, non ?

— Parfois, oui, reconnut-elle. Mais jamais avec l'intention de les retrouver. Ma famille adoptive s'est installée en Angleterre alors que je n'étais âgée que de quelques mois. Je n'ai donc aucun souvenir de ma petite enfance californienne. La lettre de mon grand-père ne disait rien de l'homme qui m'a conçue. Savez-vous quelque chose à son sujet ?

Ross haussa les épaules.

— Non. Il semble que Jenny n'ait jamais révélé son identité.

Il regarda attentivement le visage de la jeune femme, encadré de longs cheveux aux teintes de miel. Ses yeux étaient d'un vert profond, son nez droit, sa bouche délicate et pulpeuse.

— J'ai vu une photo d'elle une fois. Vous lui ressemblez beaucoup.

Gina tressaillit. Impossible de nier le pincement au cœur que lui causait cette révélation. Mais elle balaya très vite ce chagrin. Seul importait le présent, désormais.

— Vous saviez qu'elle avait eu un enfant ? s'enquit-elle encore.

Ross secoua énergiquement la tête.

— Non. Pas avant qu'Oliver ne m'apprenne qu'il vous avait contactée.

— Vous avez dû recevoir un choc !

— Ça, vous pouvez le dire ! C'était un secret de famille bien gardé, et la surprise n'en a été que plus vive !

— Ecoutez, je ne suis pas venue pour revendiquer quoi que ce soit, si c'est ce que vous pensez.

— J'ai cru comprendre que vous teniez un magasin ?

Gina préféra ne pas relever la note de mépris qui transperçait dans la voix de son interlocuteur.

— Oui, avec mon associée. Rien de comparable à l'empire Harlow, évidemment, mais cette activité me fait vivre. Je suis descendue une fois dans un de vos hôtels, ajouta-t-elle aimablement. Vraiment très agréable !

Ross ébaucha un mince sourire.

— Nous faisons de notre mieux. Pendant la durée de votre séjour, vous logerez à la maison, naturellement.

— Votre mère n'y voit pas d'inconvénients ?

— Pas que je sache.

— Vous habitez avec elle ? demanda Gina au bout d'un moment.

Elle vit le même sourire effleurer ses lèvres et disparaître aussitôt.

— J'occupe une suite à l'hôtel Harlow de Beverly Hills.

— Une garçonnière, en somme.

Il lui retourna un coup d'œil perplexe.

— Qu'est-ce qui vous fait croire que je suis célibataire ?

— Les femmes seules ont l'intuition de ce genre de choses.

Cette fois, son compagnon sembla se détendre et sourit, amusé.

— Et vous ? Vous n'avez jamais eu envie de vous marier ?

— Je préfère garder mon indépendance. Pour l'instant, du moins.

Ils avaient quitté les abords de l'aéroport et roulaient à présent sur une immense autoroute, autour de laquelle la ville s'étendait, de tous côtés. Los Angeles, sa ville natale... Gina avait du mal à croire qu'elle y était revenue.

— Où allons-nous exactement ?

— Mullholland Drive.

Ross lui indiqua des collines qui se dressaient au loin devant eux.

— Oliver préfère vivre au-dessus de la pollution.

— Vous l'appelez toujours par son prénom ?

— C'est lui qui a insisté pour qu'il en soit ainsi. Roxanne, elle, l'appelle papa.

— Comment votre sœur a-t-elle pris la nouvelle ?

— Mal, répondit-il. Elle s'était habituée à être la petite dernière de la famille.

Gina fit un rapide calcul d'après les renseignements qu'il lui avait fournis. Ross Harlow devait avoir trente-quatre ans à présent et sa sœur vingt-neuf. La petite dernière, vraiment !

— Mariée ? s'enquit-elle.

— Divorcée. C'est chose commune par ici.

— Est-ce la raison pour laquelle vous ne vous y êtes pas encore risqué ?

— Il y a de cela, sans doute.

Il l'étudia longuement, exhibant une expression indéchiffrable.

— Je ne vous imaginais pas du tout ainsi, finit-il par observer.

— Dois-je prendre cette remarque comme un compliment ? rétorqua-t-elle.

Le sourire de Ross s'éclaira brusquement.

— Nous en reparlerons plus tard, répondit-il, énigmatique.

Gina se détendit un peu, satisfaite d'avoir dissipé la tension ambiante.

Rencontrer son grand-père pour la première fois, sachant qu'il allait mourir, n'allait pas être facile ; mais elle supporterait cette épreuve. Tout ce qu'il désirait, avait-il écrit, c'était la voir et lui demander pardon pour sa conduite passée. Et ce pardon, elle pouvait le lui accorder, étant donné les circonstances, même si ce n'était pas si facile.

On atteignait la résidence Harlow par la légendaire route de corniche qui surplombait Beverly Hills. Le haut portail de fer forgé et commandé électriquement s'ouvrit alors sur une allée, au bout de laquelle se dressait une luxueuse villa. Sa façade blanche étincelait sous le soleil écrasant de cette fin d'après-midi.

La limousine stoppa devant une rangée de garages creusés à même la colline. Non loin de là, une arche majestueuse révélait une terrasse en arc, offrant une vue superbe sur la ville, dont l'horizon s'estompait sous des panaches grisâtres.

Ils pénétrèrent dans la résidence par une lourde porte de chêne, et se trouvèrent dans un vaste hall circulaire au sol de marbre. De là, un élégant escalier s'élançait en courbe vers une galerie surmontée d'une magnifique verrière.

Une femme apparut dans le hall. Etait-ce Elinor Harlow, l'épouse d'Oliver ? Si c'était elle, elle devait avoir au moins cinquante-cinq ans, calcula Gina. Or, la femme qui se tenait devant elle paraissait beaucoup plus jeune. Ses cheveux noirs étaient parfaitement lissés, son visage maquillé avec soin. La robe ivoire qui habillait sa silhouette mince portait à coup sûr la griffe d'un grand couturier.

12

— Vous êtes tout le portrait de Jenny ! s'exclama-t-elle. Bienvenue à la villa Buena Vista.

Elle s'avança, un sourire chaleureux aux lèvres, et pressa la main de Gina dans les siennes.

— Votre présence ici est si importante pour mon mari ! Il regrette amèrement la façon dont il a agi par le passé. Si vous pouviez trouver en vous la force de lui pardonner...

— Bien sûr. C'est le but de ma visite, répondit aimablement Gina.

— Où est-il ? demanda Ross.

— Il dort, leur apprit sa mère, tandis qu'une ombre passait sur son beau visage. Il ne va pas bien, aujourd'hui.

— Il reprendra le dessus, affirma Ross d'un ton confiant. C'est ce qu'il a toujours fait. En attendant, Gina désirerait sans doute se rafraîchir.

— Je vais vous montrer votre chambre, offrit Elinor Harlow. Michael montera vos bagages.

— Elle n'a qu'une valise, fit remarquer Ross. A l'inverse de certaines personnes que je connais, cette jeune femme voyage léger.

Sa mère ne put s'empêcher de sourire.

— Je préfère parer à toutes les éventualités, Ross.

Gina la suivit dans le bel escalier, consciente du regard intense que Ross Harlow posait sur elle. Ce fut avec soulagement qu'elle atteignit la galerie.

— C'est une maison splendide, commenta-t-elle. Et si spacieuse !

Son hôtesse se mit à rire.

— Pas si grande que ça pour Mullholland Drive. Vous devriez voir la villa Gregory, qui est un peu plus loin. Une demeure autrement imposante ! On dit qu'elle a appartenu à Rudolph Valentino. Voici votre chambre, annonça-t-elle en ouvrant une porte. J'espère qu'elle vous plaira.

La pièce aurait pu contenir son studio londonien, constata Gina, ébahie. Trônant sur une sorte d'estrade recouverte d'un tapis, le lit à baldaquin était entouré de voilages vaporeux qui s'harmonisaient aux tentures crème des fenêtres. Le reste du mobilier était exquis.

— Certainement, répondit-elle en se retenant d'exprimer de nouveau son admiration.

— Le dîner ne sera pas servi avant 20 heures, ajouta Elinor, mais je peux vous faire monter un plateau en attendant.

— Cela ira, merci. J'ai mangé dans l'avion. C'était la première fois que je voyageais en première classe ! Je ne suis pas sûre de vouloir retourner en classe touriste maintenant, déclara Gina d'un ton léger.

— Je doute que vous ayez à le faire désormais, répondit Elinor en souriant. Quand vous serez prête, venez nous rejoindre sur la terrasse inférieure, ajouta-t-elle en refermant la porte derrière elle.

Gina se mordit la lèvre. Sa remarque pouvait avoir été mal interprétée… Elle ne voulait aucune compensation financière en échange de sa visite. Elle était seulement venue offrir un peu de réconfort à un vieil homme qui allait mourir.

La salle de bains attenante était, découvrit-elle, une symphonie en noir et crème, avec baignoire à même le sol, jacuzzi et cabine de douche dernier cri. Revenant vers la chambre, elle constata qu'on avait déjà apporté sa valise.

La robe noire qu'elle en sortit semblait appropriée à toutes ces éventualités dont Elinor avait parlé. Pas un modèle de haute couture certes, mais élégante tout de même. Et puis, elle n'était pas là pour épater qui que ce soit. Surtout pas à Hollywood ! Elle était totalement étrangère au milieu dans lequel évoluaient ses hôtes et, plus tôt elle rentrerait chez elle, mieux cela vaudrait.

C'était cette lettre incroyable de son grand-père qui avait tout déclenché. Oliver Harlow l'avait fait rechercher, écrivait-il, parce

14

qu'il ne pouvait supporter de finir sa vie sans tenter de réparer le tort qu'il lui avait causé. Emue par le ton suppliant de cette requête, Gina n'avait pas osé refuser l'invitation, et ses parents l'avaient encouragée à s'envoler pour la Californie.

Il était un peu plus de 19 heures quand elle redescendit. Ne trouvant dans le hall personne à qui demander son chemin, elle ouvrit au hasard une porte et se trouva dans ce qui devait être une salle de réception, solennelle et vide.

— Puis-je vous aider, mademoiselle ? demanda une voix dans son dos.

Gina fit volte-face et se trouva devant un homme d'un certain âge, vêtu d'un costume strict.

— Je voudrais me rendre sur la terrasse, expliqua-t-elle. Je suis…

— Je sais qui vous êtes, mademoiselle, coupa-t-il d'un ton bref. Si vous voulez bien me suivre.

Ce qu'elle fit non sans une certaine réticence.

— Comment vous appelez-vous ?

— Alex. Je suis l'homme de confiance de M. Harlow, répondit-il sans se détourner.

Gina eut la nette impression qu'il n'appréciait pas sa présence dans cette maison. Pas plus que Ross Harlow. Elle soupira. Seule Elinor l'avait accueillie chaleureusement.

L'intérieur de la villa était délicieusement frais. Mais en débouchant sur la terrasse, la jeune femme fut assaillie par une chaleur accablante. Le printemps venait pourtant à peine de commencer. Mais c'était Los Angeles ! Et les parasols qui ombrageaient les tables et les transats semblaient décidément une bonne idée.

Ross Harlow était installé à une des tables de jardin, les manches relevées de sa chemise beige découvrant ses avant-bras hâlés. Les pieds appuyés sur une autre chaise, il tenait un verre à la main.

Dès qu'il l'aperçut, il se leva et inspecta sa tenue d'un rapide coup d'œil.

— Comment supportez-vous le décalage horaire ?

— Pas trop mal jusque-là, admit-elle. C'est même surprenant, étant donné qu'il doit être 3 heures du matin chez moi.

— C'est toujours préférable de s'y habituer le plus tôt possible. Que voulez-vous boire ?

— Un kir, s'il vous plaît.

Ross transmit sa commande à l'employé qui se tenait près de la porte-fenêtre. Puis, Gina prit place sur le siège que son hôte lui présentait, en examinant discrètement son profil. Le dessin ferme de sa mâchoire lui donnait vraiment un air froid et déterminé.

— Vous restez pour le dîner ? s'enquit-elle.

— En effet. Ma mère aurait dû vous dire que l'on ne s'habille que pour les occasions formelles, ici. Ça ne veut pas dire que vous n'êtes pas ravissante.

— Merci, répondit-elle en refusant de paraître embarrassée. Ma mère, pour sa part, m'aurait probablement conseillé d'opter pour le compromis, dans le doute. Vous remarquerez que je n'ai pas relevé mes cheveux, et que je réserve ma rivière de diamants pour la remise des oscars.

Une lueur amusée éclaira brièvement les yeux gris.

— Vous avez hérité des Harlow leur sens de la repartie. Je n'ai jamais vu Oliver à court de répliques.

— Quand pourrais-je le voir ?

— Demain matin. Il ne se sent pas assez bien pour vous recevoir ce soir.

La mine grave soudain, Gina hésita avant de poursuivre :

— Combien de temps… lui reste-t-il à vivre ?

Les yeux de son interlocuteur se voilèrent et il ébaucha un haussement d'épaules fataliste.

— Quelques semaines. Peut-être plus, peut-être moins. Qui sait ? Il a une grande force de caractère. J'espère en tout cas que vous ne lui ferez pas un sermon, ajouta-t-il en durcissant le ton.

— Bien sûr que non ! Je vous ai dit que c'était du passé. De toute façon, je reprends l'avion dans deux jours.

— C'est un long voyage pour si peu de temps, non ?

— Je ne vois pas l'intérêt de rester davantage. Encore une fois, je ne suis pas venue jouer les héritières revanchardes !

Les lèvres de Ross se crispèrent en une moue rectiligne.

— Vous croyez que c'est ce qui me préoccupe ?

— Vous avez été élevé dans l'idée que vous étiez le successeur légitime de cette fortune, n'est-ce pas ? répondit-elle calmement. Aussi, je comprends très bien que vous n'aimiez pas les obstacles, surtout quand ils surgissent, comme moi, de façon incongrue.

— Ce qui est moins compréhensible, c'est de penser comme vous le faites ! répliqua-t-il sèchement. Personne ne peut être aussi désintéressé, à moins d'être fou ! Et apparemment, ce n'est pas votre cas.

— Que cela vous plaise ou non, je dis la vérité, assena Gina avec un détachement qu'elle était loin de ressentir.

— Est-ce une querelle intime ou ai-je le droit de m'en mêler ? intervint Elinor en s'approchant. Pour deux personnes qui se sont rencontrées il y a quelques heures à peine, vous avez tôt fait de vous empoigner. Verbalement, s'entend, ajouta-t-elle en souriant, comme son fils lui jetait un regard furieux.

Elle s'était changée, optant pour une robe lilas. Pas exactement une tenue de soirée, mais tout aussi habillée que la sienne, nota Gina. C'était Ross qui détonait dans le tableau, à présent ; pas elle.

Il dut s'en apercevoir, car à cet instant, elle surprit dans son regard une lueur ironique. Ce type n'avait pas cru un seul mot de ce qu'elle avait dit. Eh bien, il n'allait pas tarder à changer d'avis. Elle avait deux jours au plus à passer ici, après quoi, elle s'en irait.

Elle en était à ce stade de ses réflexions quand une femme d'une quarantaine d'années parut, apportant les boissons.

— Lydia est notre gouvernante, expliqua Elinor. Michael et elle s'occupent de tout ici.

Gina sourit à la femme et ne reçut en retour qu'un signe de tête assez froid.

— A vous voir toutes les deux, j'imagine que je vais devoir faire quelques efforts vestimentaires, remarqua Ross quand Lydia eut disparu.

— Ne vous gênez pas pour moi, répondit Gina avec amabilité. Je n'ai rien contre les manches retroussées.

Il vida son verre et se leva.

— Je m'en souviendrai. A plus tard !

Comme son fils disparaissait vers l'intérieur de la maison, Elinor observa Gina avec attention.

— Il s'en est pris à vous ?

Gina se força à sourire.

— Vous pouvez le dire ! C'est tout juste s'il ne m'a pas traitée de menteuse, quand j'ai dit que je ne cherchais pas à tirer profit de cette histoire.

— Admettez que votre attitude est inhabituelle. La plupart des gens dans votre situation s'empresseraient de demander une compensation financière.

— Justement, je ne suis pas la plupart des gens. Bien entendu, je regrette de ne pas avoir connu ma vraie mère, mais je mène une vie confortable avec les deux personnes que j'aime le plus au monde. Je ne désire rien d'autre.

— Vous aurez probablement du mal à convaincre votre grand-père de cela. Il est plein de projets.

— Eh bien, je crains qu'il ne doive les oublier.

18

Les yeux gris d'Elinor Harlow, si semblables à ceux de son fils, s'attardèrent sur le visage de Gina, avec une expression étrange.

— On peut dire que vous savez ce que vous voulez, commenta-t-elle. Parlez-moi de vous. Je sais seulement que vous avez fait de bonnes études et que vous gérez une affaire. Y a-t-il un homme dans votre vie ?

— Personne en particulier, avoua Gina. Je suis, comme on dit, libre comme l'air.

— Mais très sollicitée, j'en suis sûre, car vous êtes très jolie.

Gina se mit à rire.

— Ça m'étonnerait qu'on me remarque ici, à Hollywood !

— Oh ! Vous seriez surprise de voir certaines stars au naturel. Le maquillage et l'éclairage font des miracles. Ce dont vous n'avez pas besoin.

— Merci. Fait-il toujours aussi chaud ? demanda-t-elle, désireuse de changer de sujet.

— Il fait frais, comparé à la température que nous aurons dans quelques semaines. Et encore, nous bénéficions d'une petite brise à cette hauteur. Il y a une piscine sur la terrasse inférieure, si vous voulez vous rafraîchir. Je nage tous les matins. Si vous avez envie de vous joindre à moi…

— Avec plaisir, répondit Gina avec sincérité.

Car elle appréciait de plus en plus Elinor Harlow. Beaucoup plus que son fils, certainement.

Elles bavardèrent encore à bâtons rompus jusqu'à ce que Ross vînt les rejoindre. Il portait un pantalon bleu foncé parfaitement coupé et une chemise blanche. Ses cheveux noirs, encore humides, bouclaient légèrement sur ses tempes.

— C'est mieux ? demanda-t-il en arquant un sourcil narquois en direction de Gina.

— Vous êtes méconnaissable ! lui assura-t-elle sur le même ton.

— Gina et moi discutons de cinéma, intervint Elinor. Tu devrais l'emmener au studio, Ross. Sam serait ravi de la rencontrer.

— D'après ce qu'elle m'a dit, elle n'aura pas le temps de faire du tourisme.

— Je peux faire une concession, déclara Gina. Je n'aurai probablement pas d'autre occasion de visiter un studio de cinéma. Mais bien sûr, si vous êtes trop occupé…

Il haussa les épaules.

— Je m'arrangerai. Prête pour le dîner ?

— Oui, répondit-elle en toute sincérité, car elle mourait de faim à présent. Dehors ou dedans ?

— Dehors, mais pas ici. Et ne prenez pas la peine d'emporter ça, ajouta-t-il en la voyant débarrasser son verre. On vous en servira un autre.

— L'économie protège du besoin, répliqua Gina en ignorant le conseil.

Elinor sourit.

— Tu pourrais bien avoir trouvé ton alter ego, mon cher Ross.

— Ne comptez pas là-dessus, avertit-il en s'adressant à Gina. Je ne suis pas à prendre.

— Et moi, je ne suis pas venue pour acheter.

— Allons dîner, lança Elinor, visiblement amusée par cette dernière repartie.

Une autre terrasse s'étendait sur le côté de la luxueuse villa. Ross attendit que les deux femmes aient pris place avant de s'asseoir en face de leur invitée. Gina soutint son regard gris avec une indifférence qu'elle commençait à avoir du mal à jouer. Oui, cet homme la troublait.

Le repas apporté sur un chariot roulant était composé de plats simples, mais merveilleusement préparés. Une salade grecque, des soles grillées accompagnées de poivrons et de haricots verts, et un plateau d'agrumes californiens géants. Cependant, elle

20

eut du mal à en avaler plus de quelques bouchées. La fatigue la terrassait, à présent. Bien qu'elle eût dormi dans l'avion, encore que par intermittences, elle était debout depuis près de vingt-quatre heures, calcula-t-elle.

— Quand pourrai-je rencontrer Roxanne ? demanda-t-elle en luttant pour garder toute sa vigilance.

— Quand elle rentrera de San Francisco, répondit laconiquement Ross. Si jamais elle revient… avant votre départ !

— Cesse de la taquiner, ordonna sa mère. Gina partira quand bon lui semblera.

Puis observant la jeune femme :

— Vous devriez monter vous coucher. Une bonne nuit de sommeil vous fera du bien.

— Il est temps que je m'en aille aussi, intervint Ross. Je suis attendu au Café Pinot.

— Je croyais que le monde du show business te laissait froid, fit remarquer Elinor.

— Tout dépend des VIP présents. Je vous tiens au courant pour la visite du studio, ajouta-t-il à l'adresse de Gina.

— Très bien. Bonsoir, répondit-elle automatiquement, trop fatiguée pour songer à une réponse plus aimable.

Elle le regarda s'éloigner à grands pas vers la maison, non sans frissonner au plus profond d'elle-même. Elle admirait son dos puissant, et la musculature de ses cuisses, suggérée sous la toile fine du pantalon. Ce n'était pas la première fois qu'elle était troublée par un physique masculin, mais jamais auparavant elle ne l'avait été aussi fortement.

« Oublie cela », s'intima-t-elle. La situation n'était-elle pas suffisamment tendue ?

— Il n'est pas aussi dur qu'il en a l'air, déclara son hôtesse, en suivant son regard. Ce sont les chocs successifs de ces dernières semaines qui l'ont aigri.

— Y a-t-il une chance pour que mon grand-père s'en sorte ? risqua Gina.

— Hélas non. La tumeur était déjà inopérable quand elle a été diagnostiquée. Dieu merci, les médicaments l'empêchent de souffrir, et vous ne verrez pas de signes extérieurs de son état, expliqua-t-elle, tandis qu'une profonde douleur voilait ses yeux. Il vous a envoyé cette lettre avant de nous mettre au courant de votre existence. Cela a dû être un choc pour vous aussi.

— Oui, c'est le moins qu'on puisse dire. Mes parents ignoraient tout de mon histoire et….

A ce stade et en dépit de ses efforts, elle ne put réprimer un bâillement.

— Je suis désolée. J'ai du mal à réfléchir normalement ce soir.

— Je comprends. Vous allez retrouver le chemin de votre chambre ?

— Cela ira, merci. Merci pour ce dîner. A demain, répondit Gina en souriant.

Elle voulait être seule ; c'était même tout ce qui lui importait, à présent. Contournant la villa, elle retrouva sa chambre sans encombre. Résistant à l'envie de s'abattre aussitôt sur les oreillers, elle se rendit à la salle de bains pour se démaquiller.

Malgré son épuisement, elle mit un certain temps à trouver le sommeil. Des pensées tournaient sans fin dans son esprit. Les Saxton n'avaient jamais été à court d'argent. Son père était directeur de société, et sa mère avait écrit plusieurs biographies à succès. Leur pavillon de Reading était aussi confortable que les autres maisons de leur avenue. Pourtant, ils étaient loin de connaître le luxe dans lequel évoluait la famille de son grand-père. Elle avait beau être des leurs par la naissance, jamais elle ne le serait par choix.

Oui, en ce qui la concernait, Ross Harlow pouvait bien disposer de tout cet univers. Elle ne le lui disputerait jamais.

2.

Hormis une légère difficulté de parole et une certaine raideur des mouvements, Oliver Harlow, ainsi qu'Elinor l'avait annoncé, présentait peu de signes extérieurs de la maladie qui le détruisait. A soixante-cinq ans, il restait un homme en pleine force de l'âge.

— Tu es tout à fait la fille de Jenny, déclara-t-il d'emblée. Tu ne peux imaginer à quel point je suis heureux de te voir ici, Gina. De savoir que tu as pardonné ma conduite.

Ça, c'était beaucoup dire, pensa Gina. Mais elle ne releva pas.

— Ce que nous avons de mieux à faire, c'est d'oublier, répondit-elle, conciliante.

Puis sur un ton joyeux, elle ajouta :

— Vous avez une villa extraordinaire ! Je commence à peine à me repérer. J'ai nagé avec votre femme ce matin. Je n'aurais jamais pensé qu'il faille chauffer la piscine par cette canicule.

Oliver se mit à rire.

— Ross serait d'accord avec toi. Il a toujours refusé de s'y baigner.

Il se tut et son regard étudia avec acuité les traits de la jeune femme.

— Comment vous êtes-vous entendus, Ross et toi ?

Gina prit un air légèrement moqueur.

— Comme chien et chat. Il a un fichu caractère !

— Exactement, approuva son grand-père. J'ai vu ses capacités quand il n'avait que quatorze ans. Bien sûr, il ne tient pas de moi, mais j'aime à penser que j'ai joué un rôle décisif dans la construction de sa personnalité.

Ils bavardaient sur la terrasse, abrités sous un large parasol, quand Elinor vint les rejoindre. Son regard interrogateur naviguaa de l'un à l'autre.

— Comment ça se passe, vous deux ?

— Mais le mieux du monde, assura son mari. Tu n'es pas de cet avis, Gina ?

— Tout à fait.

Que pouvait-elle répondre d'autre ?

— Ross vient d'appeler, reprit Elinor. Il a prévu la visite du studio pour cet après-midi. Le directeur, Sam Walker, est un vieil ami de la famille.

— Il sait que Jenny avait fait adopter son bébé, avoua Oliver. C'est l'un des rares intimes à être au courant.

Sachant cela, Gina n'était plus si emballée à l'idée de ce circuit. Mais il n'y avait plus moyen de reculer.

— Ross sera là dans une demi-heure et vous emmène déjeuner, annonça Elinor. Il m'a chargée de vous conseiller d'opter pour une tenue décontractée.

— C'est aimable à lui de s'inquiéter de mon confort, déclara la jeune femme en s'efforçant de garder une voix posée. Je vais monter me changer…

— Avec une silhouette comme la tienne, tu pourrais porter un sac et paraître encore jolie, commenta Oliver d'un ton admiratif. Les femmes Harlow ont toujours été très bien faites.

Surprenant le regard qu'échangeait le couple à cet instant, Gina éprouva un pincement au cœur, qui ressemblait à de l'envie. Ses parents mis à part, elle n'avait jamais vu un tel amour entre un homme et une femme. Comment Elinor pouvait-elle sourire, alors qu'elle était sur le point de perdre celui qu'elle aimait visiblement à la folie ? Voilà qui la dépassait.

De retour dans sa chambre, elle passa en revue sa maigre garde-robe et choisit un jean blanc et un pull beige sans manches.

Les cheveux maintenus par une barrette en écaille, elle appliqua juste un trait de mascara sur ses longs cils et une touche de rose nacré sur ses lèvres. Puisque Ross avait dit « décontracté », il allait être servi !

Lui-même vêtu d'un jean et d'un T-shirt qui moulait son torse musclé, il l'attendait dans le hall quand elle redescendit.

— Je vois que vous avez suivi mon conseil, commenta-t-il. Des lunettes de soleil ne seraient pas superflues non plus.

— Là-dedans, avec mon mouchoir ! railla Gina en tapotant son sac en bandoulière.

Il sourit brièvement.

— C'était juste un conseil fraternel.

— A proprement parler, vous êtes mon oncle. Mais je parie que vous allez me détester si je vous appelle tonton.

— En effet. C'est hors de question !

Il y avait quelque chose de différent en lui ce matin, se dit-elle comme ils sortaient de la villa. Son humeur dégagée, peut-être ? A moins qu'il n'ait fini par prendre au sérieux son désintéressement ? En fait, ce n'était pas tant l'aspect financier qui devait le préoccuper que la crainte qu'elle ne revendique sa part de l'empire hôtelier fondé par son grand-père. Eh bien, sur ce plan-là aussi, Ross pouvait dormir sur ses deux oreilles !

Une voiture de sport bleu nuit étincelait sous le soleil devant le perron. L'intérieur en cuir noir était typiquement masculin. Ross lui ouvrit la portière passager avant de contourner le capot pour se glisser au volant.

Gina avait une conscience aiguë de sa proximité. Il mit le contact, révélant le duvet sombre qui couvrait son bras hâlé. Avait-il la même toison sur le torse ? Voyons, comment pouvait-elle se laisser aller à de telles pensées ? Elle s'efforça de se concentrer sur la route.

La conversation se limita au strict minimum pendant qu'ils descendaient vers la ville. Mais peu importait à Gina qu'il fût disposé ou non à parler, elle ne demandait qu'à admirer le paysage. Beverly Hills, lieu de résidence de tant de célébrités passées et présentes, ressemblait à une prison dorée.

— C'est le prix à payer, déclara Ross quand elle lui fit part de ses impressions. Mais les stars ne passent plus guère de temps ici.

— Vous en connaissez quelques-unes ?

— Une ou deux. Des gens comme vous et moi.

Comme lui peut-être, pensa-t-elle avec ironie, car pour sa part, elle se sentait déplacée dans cet univers. S'attendant à déjeuner dans un endroit célèbre de la Cité des Anges, elle fut surprise quand la voiture franchit soudain un large portail. Un élégant édifice se dressait devant eux. Une pancarte discrète lui apprit qu'il s'agissait d'un hôtel.

— Vous habitez ici ? s'enquit-elle.

Ross indiqua des fenêtres à l'étage dans l'angle gauche.

— Oui, là-haut. Plus facile de venir déjeuner ici que dans la cohue du centre-ville. Les restaurants Harlow sont excellents.

— Je n'en doute pas. Mais vous n'avez jamais eu envie de posséder votre propre maison ?

— Ce serait trop de soucis. Je voyage beaucoup.

Arrêtant la voiture devant les marches du perron, il alla remettre les clés à un portier en livrée. Gina le rejoignit sous l'auvent d'un vert élégant.

— Combien de palaces possédez-vous ?

— Vingt-trois à ce jour. Nous construisons et nous transformons des bâtiments acquis. Lequel avez-vous visité ?

— Celui de New York. Une offre de séjour obtenue grâce à une amie qui travaille dans une agence de voyages. Un aller-retour, et deux nuits à l'hôtel Harlow. Ça ne m'a pas laissé beaucoup de temps pour faire du shopping sur la Cinquième Avenue, mais j'ai pu faire quelques affaires.

— Le voyage en valait-il la peine ?

— Absolument. Un jean comme celui-ci coûte une fortune, en Angleterre. Je l'ai payé quarante dollars seulement.

Un sourire séduisant éclaira les traits ciselés de son compagnon.

— Je parlais de l'hébergement.

Gina ne se démonta pas pour autant.

— Très agréable, comme je vous l'ai dit. Bien sûr, nous occupions une des chambres les moins chères et nous mangions à l'extérieur, donc…

— *Nous* ? coupa-t-il d'un air perplexe.

— J'étais avec une relation…

Les yeux de Gina se portèrent sur la femme qui sortait à cet instant de l'établissement.

— C'est Shauna Wallis, n'est-ce pas ?

— Exact. Elle loue un bungalow sur la propriété de l'hôtel. Masculine ou féminine, cette relation ?

— Féminine, répondit-elle, les yeux toujours rivés sur l'ac-trice, qu'un jeune homme en tenue de tennis rejoignait. Elle paraît plus âgée que je l'imaginais.

— La lumière du jour est sans merci, convint Ross. Mais Dennis, notre coach, la maintient en forme.

— Vous êtes cynique !

— Réaliste, seulement. Maintenant nous ferions mieux de passer à table si nous voulons être au studio à 14 heures. Sam nous a réservé quelques minutes de son temps. Il a connu Jenny et il a hâte de faire votre connaissance.

Gina était loin de partager cette opinion. Une crainte s'infiltrait en elle à la perspective d'en apprendre un peu plus sur celle qui l'avait mise au monde. Elle avait peur de tisser un lien avec le passé qu'elle aurait ensuite du mal à rompre.

L'hôtel était splendide. Le foyer spacieux réunissait plusieurs salons de styles différents, allant du classique au tropical, agrémentés de plantes luxuriantes. Il y régnait une intense activité. Derrière l'imposant bureau en acajou de la réception, trois maîtres d'hôtel s'affairaient.

— On dirait que les affaires marchent bien, commenta-t-elle.

— Toujours.

Ross avisa alors un homme en costume anthracite.

— Nous déjeunons sous la loggia, dit-il simplement.

— Piers a fait préparer votre table, monsieur, répondit l'employé en jaugeant Gina d'un œil spéculatif.

La jeune femme devina aisément ses pensées : elle n'était pas le genre du patron !

La première salle de restaurant était bondée et résonnait du sourd brouhaha des conversations. Ross la guida vers une terrasse installée sous une tonnelle de vigne vierge et Gina sentit tous les regards converger vers elle. Dès qu'ils furent installés, un maître d'hôtel se matérialisa près d'eux.

— Apportez-nous une bouteille de moët, commanda Ross.

— Pas pour moi, merci, coupa-t-elle vivement. Je n'aime pas le champagne. Je préférerais un kir.

— Alors, mettez-en deux, rectifia Ross.

Puis, tandis que le serveur s'éloignait :

— C'est la première fois que je rencontre une femme qui n'aime pas le champagne ! s'étonna-t-il en l'étudiant avec attention.

Elle haussa les épaules d'un air désinvolte.

— Ce qui fait de moi une curiosité, je présume.

— Une perle rare, plutôt. Prendrez-vous du vin ?

— Non merci, je veux garder la tête froide, répondit-elle en jouant nerveusement avec le pied d'un verre. Allez-vous arrêter de me regarder comme si j'avais tout à coup deux têtes ?

— En fait, je pensais combien c'était rafraîchissant de sortir une femme aux goûts simples.

— C'est qu'apparemment, le milieu que vous fréquentez ne vous convient pas.

— Difficile d'en côtoyer d'autres dans cette ville. Ici, la plupart des gens ne cherchent qu'à amasser une fortune. C'est pourquoi votre attitude envers l'argent est si difficile à accepter. Oliver pourrait vous établir confortablement, vous savez.

Les yeux verts soutinrent son regard gris sans ciller.

— Mais ce n'est pas la raison de ma présence ici, je vous le répète. Si mon grand-père était en pleine forme, je ne serais pas venue.

— Oh ! Bien sûr, j'oubliais. Vous ne savez pas résister à l'appel pathétique d'un homme mourant.

L'ironie mit Gina sur la défensive, et elle dut faire un réel effort sur elle-même pour répliquer aimablement :

— Cela aurait été trop cruel, en effet.

L'arrivée du serveur apportant leurs apéritifs empêcha Ross de formuler sa réponse. Quand ils furent de nouveau seuls, ce fut d'un ton neutre qu'il déclara :

— Oliver ne vous laissera pas partir les mains vides.

— Il n'aura guère le choix. Je ne veux rien changer à ma vie.

— Mais l'associée de votre magasin apprécierait peut-être un apport de capital ?

— Barbara ne sait rien de ce qui m'arrive, et je ne la mettrai pas au courant. Et puis, les affaires familiales restent dans le domaine privé, à mon sens. Maintenant que dois-je faire pour vous convaincre ?

Ross leva une main en signe d'apaisement.

— Très bien, je vous crois ! Je pense que vous êtes folle, mais je vous crois.

— Tant mieux. Que recommandez-vous ? s'enquit-elle en s'emparant du menu relié de cuir.

— Essayez l'agneau du Colorado. C'est une spécialité de la maison. Une pure merveille !

Il n'exagérait pas, Gina le découvrit. Accompagné d'une lasagne au poivre vert, le plat était succulent. Elle refusa le dessert, mais commanda un café.

— Il ne fallait pas vous donner tant de peine pour moi, vous savez, dit-elle en voyant Ross consulter sa montre. Votre temps doit être précieux.

— Pas au point de ne pouvoir me libérer un jour ou deux quand c'est nécessaire. Vous faites bien la même chose.

Il marqua un temps d'arrêt et la regarda attentivement.

— Où votre associée vous croit-elle en ce moment ?

— En Espagne, pour de courtes vacances. Le mois prochain, ce sera son tour.

— Ne mérite-t-elle pas de connaître la vérité ?

— C'est une relation d'affaires, pas une amie intime. Il est temps de partir, non ? ajouta-t-elle nerveusement.

— Vous avez raison.

Contournant la table avant qu'elle n'ait eu le temps de faire un geste, il l'aida à se lever.

Ils atteignirent les studios peu avant 14 heures. Des jardins joliment entretenus précédaient une série de bungalows blancs — les bureaux de la direction — au-delà desquels se profilaient les fameux plateaux de tournage.

Petit et dégarni, bien loin de l'image du grand patron que Gina avait imaginée, Sam Walker les accueillit cordialement. Il avait un rendez-vous dix minutes plus tard, s'excusa-t-il, mais ils étaient les bienvenus pour visiter les plateaux.

— Jenny était une fille charmante, évoqua-t-il. Quelques bêtises parfois, mais pas plus que les autres. J'ai eu trois filles, je sais ce qu'il en est. Vous avez le physique des Harlow, Gina. Vous passeriez très bien à l'écran. Je pourrais vous faire faire un bout d'essai.

Gina se mit à rire.

— Je ne suis pas actrice !

— Peu le sont avant que le destin ne s'en mêle, ma petite. Comment va Oliver ? demanda-t-il en s'adressant à Ross cette fois.

Celui-ci haussa les épaules, le visage impassible.

— Il tient le coup. Je ne l'ai pas vu ce matin.

— Il allait bien quand je l'ai quitté, assura Gina.

— Mais quand je suis arrivé, il avait regagné sa chambre. Il se sentait fatigué.

— J'aimerais pouvoir faire quelque chose, dit Sam en soupirant. Heureusement qu'il peut compter sur toi pour garder les affaires en main. Bon, il est temps que j'y aille. Tu connais le chemin, Ross. Je viendrai voir Oliver dès que possible.

Ils prirent congé et Ross retint Gina par le bras comme elle se dirigeait déjà vers le parking.

— Par ici. Nous prenons un buggy.

Les studios de cinéma, comme elle le découvrit, étaient une ville en miniature avec des quartiers reconstitués, un lac... Il n'y avait aucun tournage en extérieur ce jour-là, et la jeune femme en fut un peu déçue.

Comme ils longeaient un hangar de prises de son, une porte s'ouvrit, livrant passage à quelques personnes. Ross arrêta le buggy en voyant une femme s'avancer vers eux.

— On joue les guides après les heures de travail ? demanda-t-elle en lançant un rapide coup d'œil en direction de Gina. Eh bien, tu ne nous présentes pas, chéri ?

— J'allais le faire, répondit-il froidement. Gina Saxton, Karin Trent.

A sa silhouette sculpturale et à sa longue chevelure d'un blond cendré, Gina avait déjà identifié l'actrice. Sans lui laisser le temps de la saluer, celle-ci reporta toute son attention sur Ross.

— Tu seras en ville pour la soirée de la semaine prochaine ?

— Peu probable, rétorqua-t-il assez sèchement.

La moue de l'actrice était un peu enfantine, jugea Gina. Mais l'indifférence de Ross ne semblait pas la décourager.

— Appelle-moi, dit-elle d'une voix cajoleuse avant de tourner les talons pour rejoindre ceux qui l'escortaient, en balançant ostensiblement les hanches.

Imperturbable, Ross remit le buggy en marche.

— Je l'ai vue dans *Captivation* l'an dernier, commenta Gina d'un ton léger. Elle était excellente !

— Elle sait tenir un rôle, convint-il.

— Vous la connaissez intimement ?

Il lui jeta un regard curieux.

— En quoi cela vous intéresse-t-il ?

— Je pensais qu'elle pourrait avoir des raisons d'être si possessive et de vous appeler « chéri ».

— Selon vous, toutes les femmes avec lesquelles je passe une nuit ont des droits sur moi ?

— Plus que les autres, non ? Cela dit, elle est très belle.

— Il existe tant de très belles femmes !

— Et vous envisagez de toutes les séduire ?

Ross salua cette question d'un franc éclat de rire.

— Je n'ai pas cette énergie ! Et ne vous inquiétez pas pour Karin, elle s'en remettra.

— Ça alors ! Je vous trouve bien arrogant. Et un peu macho !

Il parut plus amusé qu'insulté par sa remarque.

32

— Un peu seulement ? Pourquoi me ménagez-vous ?

— En ce qui vous concerne, je préfère émettre des réserves !

Comme il arrêtait l'engin sur le parking, Gina descendit et porta une main à ses cheveux pour redresser sa barrette.

— Pourquoi ne pas les laisser libres ? Ils sont très beaux, déclara Ross.

— Ce n'est pas pratique, dit-elle, incapable de réprimer un frisson de plaisir à ce compliment.

Puis gênée par son regard insistant, elle abaissa la main.

— Nous rentrons ?

— Je dois passer au bureau d'abord. Ce n'est pas loin d'ici.

L'idée que se faisaient les Américains des distances différait grandement de la sienne, Gina avait déjà eu l'occasion de s'en apercevoir. Elle ne fut donc pas surprise quand ils empruntèrent la rampe d'accès à l'autoroute.

— Avez-vous contacté vos parents ? demanda Ross en s'engageant dans la circulation dense.

— Ce matin. Je leur ai dit que je rentrais ce week-end.

— Nous sommes mercredi. Vous avez déjà retenu votre billet ?

— Non, mais cela ne devrait pas poser de problèmes en première classe. Il y avait des places libres à l'aller.

— Ça ne veut pas dire que vous aurez la même chance dans le sens inverse. Vous devriez vous en inquiéter dès maintenant. Appelez la compagnie depuis mon bureau.

— Pressé de vous débarrasser de moi ? railla-t-elle.

La question ne le troubla pas.

— C'est vous qui êtes décidée à partir.

Ce qui était vrai, elle devait l'admettre. C'était même l'une des premières choses qu'elle lui avait dites à son arrivée.

33

— Je suis supposée rentrer d'Espagne samedi. Barbara risque de se poser des questions si elle ne me voit pas au magasin lundi matin.

— Pourquoi avoir choisi de tenir une boutique, au fait ? s'enquit-il au bout d'un moment. Je vous sentais plus ambitieuse que ça.

— Ce n'est pas une petite échoppe de rien du tout, se défendit-elle. Nous fournissons une clientèle haut de gamme.

— Tout de même…

— C'est *mon* choix !

Le haussement d'épaules qu'il ébaucha montrait clairement qu'il n'était pas disposé à poursuivre la discussion. S'autorisant un coup d'œil furtif à son profil rude, Gina se demanda ce qu'il dirait si elle lui avouait l'erreur qu'elle avait commise en s'engageant dans le commerce. Barbara l'avait persuadée par son enthousiasme d'accepter cette association, à laquelle elle n'avait pas assez réfléchi. Même si l'entreprise était florissante, ce n'était pas ainsi qu'elle comptait continuer à gagner sa vie. Le problème était que Barbara n'avait pas les moyens de lui racheter sa part, et elle-même n'avait pas les ressources nécessaires pour entamer une autre carrière.

Mais maintenant, elle pouvait les avoir, ces moyens… Elle remisa très vite cette pensée perfide au fond de son esprit.

Quittant l'autoroute, ils s'engagèrent dans une large avenue du quartier des affaires. Gina avait imaginé le siège du groupe Harlow dans un édifice imposant, mais la vue de la haute tour de verre et d'acier au logo étincelant lui coupa littéralement le souffle.

Ils pénétrèrent dans un hall somptueux en marbre blanc. Derrière son large bureau incurvé, la réceptionniste salua Ross avec déférence, tandis qu'ils gagnaient la batterie d'ascenseurs. Arrivés au huitième étage, ils émergèrent dans un salon feutré, aux murs saumon et beige. Les tableaux abstraits accrochés aux murs étaient certainement des originaux, se dit Gina ; et la femme assise au bureau central était elle aussi une beauté. Se levant pour venir à leur rencontre, celle-ci révéla une silhouette exquise dans une simple jupe noire et un chemisier blanc.

— Je ne savais pas que vous seriez là aujourd'hui, monsieur Harlow ! s'exclama-t-elle.

— Bonjour, Penny. Juste un saut pour vérifier certains détails.

Il emprunta le corridor de droite et ouvrit la première porte. Un immense bureau apparut, offrant une vue panoramique de la ville et des montagnes de Santa Monica. La table de travail était en acajou massif. Un peu à l'écart, des fauteuils en cuir entouraient une table basse, formant un coin plus intime. Le sol était couvert de la même moquette crème qui couvrait tout l'étage.

— Asseyez-vous, l'invita Ross. Je n'en ai pas pour longtemps.

Gina prit l'un des sièges à dossier droit devant le bureau et Ross s'installa dans le grand fauteuil directorial. Il pressa une touche de l'ordinateur.

— Tout à portée de main, fit-elle remarquer. Comment faisait-on avant l'arrivée de cette technologie de pointe ?

— On comptait davantage sur une bonne secrétaire, répondit-il. Penny est toujours indispensable.

— Elle est très séduisante aussi.

— Pourquoi ne le serait-elle pas ? Même si elle est mariée et heureuse. Ceci au cas où vous vous poseriez la question…

Il fut interrompu par la sonnerie d'un téléphone et sortit un portable de sa poche.

— Harlow. Oh ! C'est toi. *Quoi*… ? Nous arrivons le plus vite possible !

Alarmée, Gina se leva en même temps que lui.

— Qu'y a-t-il ?

— Oliver, jeta-t-il d'un ton pressant. Il vient d'avoir une crise cardiaque. Ils sont en route pour l'hôpital…

Le trajet à travers la ville fut un cauchemar, durant lequel Gina resta immobile et muette. Elle n'avait pas passé plus d'une demi-heure avec son grand-père ce matin. Serait-ce la seule occasion qu'elle aurait jamais eue de le voir ?

Ross aussi était silencieux, mais la ligne tendue de sa mâchoire en disait long sur les sentiments qu'il portait à celui qui avait remplacé son père.

Ils atteignirent enfin l'hôpital et furent immédiatement dirigés vers l'unité de cardiologie. Ils trouvèrent Elinor assise dans une salle d'attente, une infirmière auprès d'elle. Le visage qu'elle leva vers son fils était tragique.

— Il est mort…

3.

Il sembla à Gina que la moitié de la ville était venue assister aux funérailles. Pas plus de trente invités cependant furent conviés ensuite à la villa, auxquels se joignirent quelques connaissances.

Pâle mais digne, Elinor circulait parmi eux, acceptant les condoléances d'un mot aimable, souriant même à l'évocation de souvenirs. Gina ne pouvait s'empêcher d'admirer sa force intérieure.

La jeune femme avait décidé de rester plus longtemps — non qu'elle eût le cœur de partir en pareilles circonstances de toute façon. Aussi avait-elle été obligée d'avouer la vérité à Barbara.

Ross rencontra son regard et lui adressa un sourire rassurant. Il avait été solide comme un roc durant ces derniers jours, se chargeant de toutes les démarches et de l'organisation des obsèques. Il avait eu du mal à contacter sa sœur, si bien que Gina avait endossé le rôle de celle-ci auprès d'Elinor qui avait eu terriblement besoin de se confier. Ce que Roxanne n'avait bien entendu pas apprécié.

Parlant avec Sam Walker en ce moment, celle-ci manifestait peu de chagrin. Le tailleur noir seyait parfaitement à sa haute silhouette svelte, et le blanc de son chemisier contrastait avec

37

l'ébène de ses cheveux. Elle était d'une beauté indéniable, la seule fausse note étant le pli dur de sa bouche, jugea Gina.

Roxanne lui avait fait clairement connaître son opinion dès qu'elles avaient été en présence l'une de l'autre. L'adoption excluait tout droit à l'héritage, avait-elle déclaré. Ses intentions restant inchangées, Gina n'avait pas jugé bon de discuter cette question.

A cet instant, Ross lui apporta un verre de whisky.

— Buvez, commanda-t-il. Vous avez besoin d'un remontant.

Le seul qu'elle eût aimé avoir, objecta-t-elle intérieurement, c'était de se retrouver chez elle, en Angleterre… Faute de quoi, elle prit le verre et avala la moitié de son contenu d'un trait, grimaçant sous l'effet brûlant de l'alcool.

— Doucement, l'avertit-il. C'est du whisky pur.

— A qui le dites-vous ! répondit-elle en levant des yeux larmoyants. Votre mère fait preuve d'un courage exemplaire.

— Elle est forte, oui. Merci pour le réconfort que vous lui avez apporté.

— Oh ! Je regrette seulement de ne pouvoir faire mieux. Je sais à quel point elle aimait Oliver.

— Oui, et ce sera particulièrement pénible pour elle ce soir, quand tout ceci sera terminé. Je vais passer la nuit ici.

Gina en fut soulagée. L'idée de se retrouver seule face à Roxanne, pour le cas où Elinor déciderait de se coucher tôt, la mettait mal à l'aise.

— Demain, ce sera un peu plus facile.

Ross secoua la tête.

— Pas vraiment. Il y aura la lecture du testament.

— Alors, je ferais mieux de prendre mes dispositions pour rentrer, dit-elle.

Une lueur indéfinissable traversa les yeux gris de son vis-à-vis.

— Bien sûr. Je remercierai vos parents pour les fleurs. C'était un geste délicat de leur part.

Se détachant du petit groupe rassemblé autour de Roxanne, Sam Walker s'approcha d'eux. Il tapota amicalement le bras de Gina avant de s'adresser à Ross.

— Il va falloir que je parte.

Ross serra la main qu'il lui tendait.

— Merci d'être venu, Sam. Cela n'a pas dû être facile.

— Sois courageux. Je saluerai ta mère en sortant. A bientôt.

— Il a perdu sa femme l'an dernier, expliqua Ross quand l'ami de la famille eut disparu dans la foule. Si les mariages se défont très vite à Hollywood, le leur était une belle exception.

— Vous ne pensez pas qu'il se remariera ? demanda Gina.

— J'en doute. Pourtant, ce ne sont pas les offres qui manqueraient.

Gina l'imaginait volontiers. Le patron d'un grand studio de cinéma devait être un excellent parti ! Elle n'eut pas plus tôt formulé cette pensée qu'elle ressentit un profond dégoût. Elle devenait cynique, elle aussi ! Décidément, plus vite elle serait dans l'avion qui la ramènerait en Angleterre, mieux cela vaudrait.

— Je vous dois des excuses, déclara brusquement Ross. J'ai été exécrable envers vous à votre arrivée.

Gina rencontra son regard, en s'efforçant de dissimuler ses émotions.

— Cela ne m'a pas choquée outre mesure.

— Je m'en suis rendu compte. Je me demande si quelque chose vous déroute.

« Si seulement il savait ! » pensa-t-elle soudain mal à l'aise.

— J'essaie de ne pas me laisser dominer, c'est tout. Vous ne devez pas vous occuper de vos invités ? biaisa-t-elle.

39

— J'ai bavardé avec tous ceux que je voulais voir. Les autres n'ont pas été conviés.

Il indiqua un canapé inoccupé.

— Asseyons-nous. La journée a été éprouvante.

Gina ne pouvait le contredire là-dessus. Elle se sentait épuisée. Ross prit deux tasses de café sur une table roulante et vint s'asseoir auprès d'elle.

— Merci, ça va mieux, approuva-t-elle au bout de quelques gorgées. Pensez-vous que votre mère restera ici ?

Ce disant, elle balaya du regard le salon richement meublé.

— C'est une question que je me suis déjà posée. Elle serait plus à l'aise dans un appartement en ville, et plus entourée. Maintenant, qu'elle soit prête à renoncer à cette maison, c'est une autre histoire. Oliver et elle l'habitent depuis leur mariage. Ce n'est pas celle qu'il avait partagée avec votre grand-mère, précisa-t-il.

Gina l'observa à la dérobée, tandis qu'il portait la tasse à ses lèvres, admirant son corps droit dans son costume noir et les traits rudes de son visage.

— Roxanne s'installe-t-elle ici quand elle vient à Los Angeles ? demanda-t-elle pour se distraire de ses pensées vagabondes.

— Quand cela l'arrange, répondit-il avec une note dure dans la voix. Roxanne fait toujours ce qui est le mieux pour elle.

— Une parole peu fraternelle.

— Les frères et sœurs ne sont pas toujours les meilleurs amis du monde, vous savez. Nous menons des vies très différentes. Il y avait peu de chances pour que vous vous entendiez.

Gina lui coula un regard intrigué.

— Pourquoi dites-vous cela ?

— Vous avez des idéaux, Gina. Roxanne n'en a aucun. Je ferais mieux de raccompagner tout le monde, ajouta-t-il en se levant.

40

Effectivement, les gens semblaient vouloir prendre congé. Gina passa sur la terrasse, pensive. Ce qu'il venait de dire de sa sœur était assez choquant, il fallait en convenir. Il avait dû se passer quelque chose de grave entre eux. Elle ne le saurait probablement jamais et n'était même pas sûre de vouloir connaître le fin mot de l'histoire. Dans un jour ou deux, elle serait partie et oublierait toute cette affaire.

Son départ ne serait pas facile, elle le savait. Ross lui avait fait trop grande impression déjà pour qu'elle pût l'oublier. Elle l'avait su dès l'instant où elle avait posé les yeux sur lui. Oui, le coup de foudre existait bel et bien !

Une chose pourtant était sûre : s'il s'était radouci envers elle, il n'irait pas plus loin. Parce qu'elle n'avait rien de commun avec les femmes qu'il avait l'habitude de côtoyer.

Quand Gina revint vers le salon, Elinor s'était apparemment retirée, laissant Ross s'occuper des derniers visiteurs. Tenant un dernier verre à la main, Roxanne la regarda avec un mépris non dissimulé.

— Il n'y a rien qui vous retienne ici, lança-t-elle durement. Pourquoi ne pas réserver votre vol maintenant ?

— C'est mon intention, répondit Gina d'un ton posé. Je le ferai demain matin à la première heure.

— Pourquoi pas ce soir ? Vous espérez que ma mère va vous supplier de rester ? Je ne suis pas aveugle. Je vois bien comme vous lui léchez les bottes !

— Je fais seulement ce que vous auriez dû faire vous-même, objecta Gina d'une voix mordante : Essayer de lui apporter un peu de réconfort !

— Je n'ai pas besoin que vous me dictiez ma conduite !

— Il faut bien que quelqu'un le fasse.

— Que se passe-t-il ici ? demanda Ross en s'approchant à leur insu. Eh bien ?

— Je disais seulement qu'il était temps qu'elle rentre chez elle, déclara sa sœur.

— C'est à Gina d'en décider et à elle seule, trancha-t-il. Tu oublies qu'elle a plus de droits que nous d'être ici.

— Ça, c'est la meilleure !

— C'est sans importance, coupa fermement Gina avant que Ross pût ajouter quoi que ce soit. Je monte me changer.

— Bonne idée, répondit-il. Oliver n'aurait probablement pas aimé le noir. As-tu l'intention de rester ici ?

Cette dernière question prononcée d'un ton abrupt s'adressait à sa sœur.

— Je ne veux pas aller ailleurs avant de connaître ma situation financière, répliqua celle-ci.

— J'aurais dû m'en douter !

Gina n'attendit pas la suite. Quelle qu'en fût l'origine, leur conflit ne la regardait pas. Retrouvant l'intimité de sa chambre, elle goûta le calme avec soulagement. Ils étaient debout depuis près de onze heures. Une journée épuisante...

Une douche fraîche la délassa un peu, puis elle enfila un pantalon et un T-shirt qu'elle avait déjà portés ; mais tant pis. Elle n'avait certainement pas prévu de rester une semaine entière. Pour les funérailles, elle avait revêtu la robe noire qu'elle avait mise le soir de son arrivée, avec une veste de soie noire qui cachait le décolleté.

Elle trouva Ross au rez-de-chaussée, seul. Lui aussi s'était débarrassé de son costume et portait un pantalon beige et une chemise.

— Un verre ? proposa-t-il.

— Un jus d'orange, merci.

— Vous voulez toujours garder la tête froide ?

— Je me remets à peine du whisky de tout à l'heure. Votre mère va-t-elle descendre pour le dîner ?

— Oui, dans quelques minutes, confirma-t-il en lui tendant son verre. Roxanne ne se joindra pas à nous. Elle préfère aller en ville se changer les idées.

— A-t-elle toujours été ainsi ? demanda Gina.

— Egocentrique ? Du plus loin que je me souvienne, oui. Oliver était si anxieux de se faire accepter d'elle qu'il cédait à tous ses caprices.

— Il cédait aussi aux vôtres ?

— Il n'a pas eu besoin de le faire. Nous nous sommes bien entendus dès le départ. Il avait toujours voulu un fils. Si vous aviez été un garçon, qui sait… ?

Il laissa sa phrase en suspens. Puis, le regard direct, il poursuivit :

— Vous avez été merveilleuse durant toute cette semaine. Sachez que votre aide a été appréciée.

— Oh ! Je n'ai rien fait d'extraordinaire.

— Vous étiez là quand ma mère avait besoin du réconfort que seule une femme sait procurer. Si Roxanne…

Il s'interrompit de nouveau, en secouant la tête d'un air désabusé.

Gina ravala la question qui tremblait au bord de ses lèvres. Non, elle ne devait plus s'impliquer dans les affaires de cette famille. C'était terminé !

Personne ne mangea de bon appétit ce soir-là, et Elinor quitta la table dès la fin du repas.

— Je pense que je vais moi aussi me coucher tôt, annonça Gina dans le silence qui suivit.

— Restez un peu, insista Ross doucement. Je n'ai pas envie d'être seul.

Rencontrant son regard empreint de tristesse, Gina s'adossa de nouveau contre sa chaise.

— Ça a dû être difficile de faire front tout au long de cette semaine, fit-elle remarquer.

43

Un sourire doux-amer incurva les lèvres de Ross.

— Assez dur, oui.

— Je ne comprendrai jamais pourquoi les hommes se croient obligés de contenir leurs émotions.

— Conditionnés dès l'enfance. Quelle a été votre première réaction en recevant la lettre d'Oliver ? demanda-t-il soudain.

— L'incrédulité. J'étais sûre qu'il y avait erreur.

— Ça n'a rien changé aux sentiments que vous portiez aux Saxton ?

— Bien sûr que non. Etre parents, c'est plus que mettre un enfant au monde. Ils m'ont élevée avec amour et ont tout fait pour que je sois une personne solide, indépendante et confiante en elle. Ils sont merveilleux.

— Sont-ils en mesure de vous aider à quitter votre affaire ?

Prise de court, Gina mit quelques instants à se ressaisir.

— Pourquoi dites-vous cela ?

Ross haussa les épaules.

— L'instinct. Vous ne désirez pas parler de votre activité et vous ne semblez pas avoir beaucoup d'égards pour votre associée. Vous ne pouvez le nier.

Les yeux verts de Gina étincelèrent, la colère prenant immédiatement le pas sur l'acceptation des faits.

— Très bien, je n'essaierai même pas. Et pour répondre à votre question, oui, ils seraient en mesure de m'aider, si j'osais le leur demander. Mais c'était mon erreur et je l'assume !

— Vous êtes une femme d'exception, vous savez ? commentat-il doucement. Dans cette partie du monde, en tout cas.

Il se leva. Gina sentit son pouls battre violemment lorsqu'il s'avança vers elle. Elle ne songea même pas à protester quand il la força à quitter sa chaise. Et quand il la prit dans ses bras, elle se laissa faire, sans penser à quoi que ce soit au-delà du moment présent.

La bouche de Ross se referma sur la sienne. Douce au début, hésitante même, elle se raffermit jusqu'à devenir avide, passionnée. Gina goûta son baiser. C'était ce qu'elle avait désiré tout au long de cette semaine. Rien ne comptait autant que le désir qu'il éveillait en elle en cet instant, que l'envie souveraine de le rencontrer au plus près. Un désir qu'il partageait, c'était évident.

Elle eut un bref accès de lucidité quand ils montèrent vers sa chambre, mais cela ne dura pas. La présence de Ross à son côté, sa main forte enserrant la sienne, le parfum viril qui émanait de lui, suffisaient à lui faire oublier toute autre considération.

Ensemble, ils se dévêtirent tout en s'embrassant, éparpillant leurs vêtements au fur et à mesure qu'ils approchaient du lit. Lorsqu'elle fut étendue nue sur le couvre-lit de soie, Ross resta de longues secondes à la contempler.

— Vous êtes si belle…, murmura-t-il en admirant sa taille fine, ses hanches pulpeuses, son ventre plat et sa poitrine ferme et ronde.

Gina baissa les yeux vers le torse large et bombé de Ross. Son corps de dieu grec était aussi musclé que bronzé. La toison qui couvrait ses pectoraux était dorée par le soleil, et plus claire que celle qui descendait de son ventre vers sa virilité, nota-t-elle avec émotion.

Ross se coucha près d'elle, se soutenant sur un coude pour plonger son regard dans celui de la jeune femme. Tandis qu'il faisait courir un doigt entre ses seins, Gina sourit en constatant que ce visage qui lui avait jusqu'alors semblé dur, exprimait en cet instant la plus vive émotion. Ross s'aventura vers l'entrejambe de sa compagne, puis sur son ventre palpitant. Gina frémit. L'excitation pulsait au plus profond de son être et ses cuisses s'entrouvrirent d'elles-mêmes pour l'inviter vers le cœur brûlant de sa féminité qu'il cherchait à atteindre.

Elle était prête à s'offrir à lui, mais il voulait poursuivre longtemps encore la découverte de son corps, l'inondant de caresses exquises jusqu'à ce qu'elle se cambre dans un mélange de violence et de volupté. Comme il s'efforçait de la soumettre totalement à sa volonté, de petits cris étranglés s'élevèrent de la gorge de Gina.

— Assez ! Oh ! Assez…

— Nous venons à peine de commencer, murmura Ross d'une voix rauque.

Il se pencha vers sa poitrine pour agacer du bout de la langue la pointe de ses seins dressés. Gina s'abandonna alors à l'ivresse de ses sens enflammés, tandis qu'il caressait de ses lèvres ses seins tendus. Haletante, elle enfouit ses doigts dans ses cheveux épais, savourant leur texture soyeuse, le pressant contre elle, alors même qu'elle le suppliait de mettre fin à son supplice.

Quand enfin il s'allongea sur elle, le corps de Gina semblait sur le point de s'embraser. Ce qu'elle ressentit quand il entra en elle fut incomparable. Jamais elle n'avait connu un tel plaisir. Lentement, avec volupté, elle ondula sur le rythme lancinant du va-et-vient. Enfin, alors que le désir les submergeait tous deux, leur étreinte se mua en une extase si puissante qu'ils sentirent l'un et l'autre un même courant d'ondes traverser leurs corps soudés, et ils chavirèrent ensemble.

Longtemps, ils restèrent étendus, sans force. Gina ne s'était jamais sentie aussi alanguie.

— Cela valait la peine d'attendre, murmura Ross contre son épaule.

— Attendre ? s'enquit-elle paresseusement.

— J'aurais pu te faire l'amour dès la première nuit.

Elle resta un moment silencieuse, assimilant ses paroles.

— Tu ne m'en donnais pourtant pas l'impression, dit-elle enfin.

46

Il laissa échapper un rire rauque, approchant ses lèvres de la petite zone du cou juste sous son oreille.

— Je n'en avais pas l'intention.

— Parce que tu croyais que j'étais là pour glaner une partie de votre fortune ?

— En quelque sorte. Il y a une sacrée différence entre le désir et la confiance.

— Et maintenant ?

— Après ce que tu as fait ces derniers jours, je ne peux que t'accorder toute ma confiance. Ma mère se serait effondrée, sans toi.

Il l'embrassa de nouveau, sur les lèvres cette fois, l'éveillant tout à fait. Gina refoula les interrogations qui envahissaient son esprit pour renaître au désir. Elle était incapable de dire non à ce qu'il lui offrait.

Le jour était levé depuis longtemps quand elle émergea d'un profond sommeil. Ross était parti, bien sûr. Comment aurait-il pu en être autrement ?

La nuit dernière, elle avait commis une grave erreur. Elle l'avait su même au plus fort de leur étreinte. Son départ n'en serait que plus difficile, désormais.

Non que cela fît une grande différence pour Ross, elle le savait. Il avait eu besoin de tenir une femme dans ses bras, et elle avait été disponible. Il avait même prévu ce qui était arrivé.

Ni lui ni sa sœur ne parurent quand elle descendit. Elle s'installa sur la terrasse pour prendre son petit déjeuner, puis passa un coup de téléphone avant de partir à la recherche d'Elinor, qu'elle trouva au bord de la piscine.

— Vous ne vous joignez pas à moi ? l'invita la mère de Ross. Il va bientôt pleuvoir. Vous devriez en profiter.

— Je dois faire mes bagages. Mon avion décolle à 22 h 15 ce soir.

Elinor se redressa brusquement.

— Vous ne pouvez pas partir ! Et la lecture du testament d'Oliver ? Je vous ai dit qu'il avait fait des projets pour vous.

Gina s'assit sur un transat auprès d'elle.

— J'aurais préféré qu'il n'en fasse rien. Je ne suis pas venue dans cette intention.

— Je le sais. J'ai dit à Oliver ce que vous ressentiez. Cela n'a fait aucune différence, comme je m'y attendais. Le testament a été modifié en votre faveur avant que vous n'arriviez. Il ne m'a pas dit exactement quels étaient ses projets, mais je suis sûre que vous aurez les moyens de voyager en première classe à partir de maintenant. Si vous essayez de refuser, ce serait offenser sa mémoire.

Gina se mordit la lèvre.

— Vous me mettez dans l'impasse.

— Alors, acceptez, la pria Elinor. L'argent est-il une si mauvaise chose ?

— Non, dut-elle admettre. Simplement, je ne voulais pas…

— … que l'on vous prenne pour une croqueuse de diamants, acheva Elinor en souriant faiblement. Oliver s'est assuré que vous étiez digne de son nom, avant de vous écrire, croyez-moi. Le fait que vous n'attendiez rien de lui prouve qu'il ne s'est pas trompé. Ross a nourri quelques doutes au début, mais vous avez réussi à le gagner à votre cause.

— Reste Roxanne, objecta Gina, soudain mal à l'aise à la mention de Ross.

Elinor soupira.

— Elle vous considère comme une menace pour son propre héritage. Oliver lui aura laissé une part généreuse pourtant, j'en suis sûre. Quant à Ross, il prendra la direction de la chaîne

48

hôtelière, c'est ce qu'Oliver a toujours souhaité. Il a commis une grave erreur avec Jenny, mais c'était un homme bon, par ailleurs.

— Je n'en doute pas, déclara Gina avec diplomatie. De toute évidence, il vous aimait énormément.

Des larmes brillèrent un instant dans les yeux d'Elinor Harlow.

— Et moi aussi. C'est pourquoi je remuerai ciel et terre pour faire respecter sa volonté.

Gina sentit qu'elle n'avait pas le choix.

— Très bien, se résigna-t-elle. A quelle heure aura lieu la lecture du testament ?

— A 14 heures.

— Il n'y a donc aucune raison pour que je ne prenne pas l'avion ce soir.

— J'aimerais vraiment que vous restiez encore un peu, implora Elinor. Vous êtes la seule à qui je puisse parler. Votre associée peut diriger seule votre magasin quelques jours de plus, non ?

Seigneur, dans quelle situation s'était-elle fourrée ? pensa Gina, contrariée. Si elle insistait pour partir, elle laissait tomber Elinor. Pourtant, en restant, elle laissait croire à Ross qu'elle attachait de l'importance à la nuit qu'ils avaient partagée. Pour comble, après avoir tant protesté, elle allait être obligée d'accepter l'héritage de son grand-père !

— Oui, je suppose, répondit-elle sans réfléchir davantage. Je vais téléphoner à Barbara.

Laissant Elinor à son bain de soleil, elle rentra dans la villa et décida de passer immédiatement ce coup de téléphone. Il y avait des chances pour que Barbara soit encore au magasin.

C'était le cas. Mais celle-ci fut loin d'être enchantée par ces nouvelles dispositions. Gina raccrocha en promettant de la recontacter dès qu'elle connaîtrait la date de son retour.

Quand elle se détourna, Roxanne se tenait à quelques pas. Il était facile de voir qu'elle rentrait tout juste de sa nuit en ville.

— Vous vous êtes bien amusée ? s'enquit Gina sans lui laisser le temps de parler.

— Formidablement bien, même si ce ne sont pas vos affaires, répondit Roxanne d'une voix rogue. J'espère que vous ne comptez pas rester ici ?

— Est-ce que ce sont *vos* affaires ? Il me semblait que c'était la maison de votre mère.

Les yeux étincelants, Roxanne ébaucha une moue de mépris et Gina la planta là. Mon Dieu ! Il aurait mieux valu que son grand-père oublie le passé. Le remords de cet homme bouleversait sa vie, de plus d'une façon.

Elle ne fit pas mention du testament quand elle réussit à joindre ses parents, un peu plus tard. C'était inutile, tant qu'elle ne savait pas à quoi s'en tenir sur le sujet. Ils firent de leur mieux pour comprendre la détresse de ses hôtes dans ces circonstances, mais il était évident qu'ils ne se réjouissaient guère qu'elle eût à prolonger son séjour.

La matinée se passa sans que le frère ou la sœur apparût.

— Ross est allé au bureau, l'informa Elinor. Quant à Roxanne, elle récupère encore des excès de la nuit dernière, ajouta-t-elle en hochant tristement la tête.

Gina aurait voulu lui offrir un peu de consolation, mais elle aurait eu à mentir pour cela. Roxanne n'était qu'une garce trop gâtée. Il n'y avait pas d'autre mot.

Arrivé quelques minutes après le notaire qui devait procéder à la lecture du testament, Ross rejoignit la petite assemblée réunie dans la bibliothèque, en s'excusant de les avoir fait attendre. Gina regarda fixement devant elle quand il prit place, mais elle avait une conscience aiguë de son regard posé sur elle. Evidemment, il s'étonnait de la trouver là, elle qui avait clamé haut et fort son désintéressement.

Le notaire parla d'abord des legs mineurs qui concernaient le personnel. Puis les employés furent priés de quitter la pièce et la lecture du testament se poursuivit. En écoutant la liste interminable des associations caritatives qui recevraient un don, Gina eut confirmation de l'immensité de la fortune d'Oliver Harlow.

Quand enfin l'homme de loi en vint aux legs principaux, elle entendit Roxanne murmurer :

— Il est temps !

— A ma fille adoptive, Roxanne, lut-il, je laisse la somme d'un million de dollars, sous forme de rente. A ma chère femme Elinor...

— *Un million ! C'est tout ?*

Roxanne était debout, les yeux étincelants.

— Il ne peut pas me faire ça !

— Tais-toi et assieds-toi ! ordonna Ross d'une voix forte. Tu peux t'estimer heureuse qu'il ne t'ait pas déshéritée ! Encore un mot et tu sors d'ici ! ajouta-t-il comme elle s'apprêtait à répliquer.

— A ma chère femme Elinor, reprit le notaire, je laisse tous mes biens matériels et ma fortune personnelle.

A ce stade, il marqua une pause, sans lever les yeux de son feuillet.

— Enfin, ma société sera partagée équitablement entre mon fils adoptif, Ross Harlow, et ma petite-fille, Virginia Saxton, à condition qu'ils se marient. S'ils ne respectaient pas cette clause, les parts deviendraient accessibles aux membres de mon conseil d'administration.

4

Un silence oppressant suivit cette annonce finale. Anéantie, Gina eut l'impression que le monde venait de s'écrouler.

Roxanne fut la première à recouvrer l'usage de la parole.

— Je ne vais pas supporter ça ! lança-t-elle, véhémente. Je reçois un million ridicule, alors qu'*elle* hérite de la moitié des hôtels Harlow ! Ross, tu ne vas pas rester assis là !

— Et que veux-tu que je fasse d'autre ? demanda-t-il sur un ton que Gina jugea étonnamment calme.

— Contester le testament, pardi ! Dire qu'il n'était pas sain d'esprit !

— Comment oses-tu ? s'indigna sa mère. Oliver savait ce qu'il faisait. Gina est une Harlow à part entière. Elle a le droit d'hériter !

S'efforçant de regarder Ross droit dans les yeux, Gina déclara d'une voix altérée :

— Je n'avais aucune idée de ceci, je vous le jure. J'ignorais même qu'Oliver m'avait couchée sur son testament jusqu'à ce que votre mère m'en parle ce matin.

— Oliver ne m'a pas fait part de ses intentions, plaida à son tour Elinor. Mais je ne les trouve pas si déraisonnables.

Roxanne la fixa d'un air incrédule.

— Tu deviens folle, toi aussi ?

— Ne parle pas à ta mère sur ce ton ! trancha Ross. Il était évident qu'Oliver allait pourvoir sa petite-fille. Je n'avais pas prévu qu'il irait si loin, mais je suis sûr que nous pourrons trouver une solution.

Laquelle ? se demanda Gina, encore trop sonnée pour penser normalement. Comment son grand-père avait-il pu infliger une condition pareille à celui qu'il avait élevé pour lui succéder ? Et à elle-même ?

Ross se tourna vers elle, parfaitement maître de lui.

— Nous devons parler. Mais pas ici. Seul à seule.

Une partie d'elle-même avait envie de répondre sur-le-champ qu'il était inutile de discuter de ce qui n'aurait pas lieu, mais son instinct l'empêcha de prononcer ces mots. Avec des gestes d'automate, Gina le suivit, sous les imprécations de Roxanne.

Il la guida vers ce qui avait été le bureau de son beau-père et l'invita à s'asseoir. Il préféra rester debout, appuyé contre la table de travail, les mains dans les poches de son pantalon. En le regardant à présent, Gina avait du mal à croire à leur folle nuit d'amour.

— Je ne suis pas…, commença-t-elle en s'arrêtant soudain comme Ross secouait la tête.

— Tu n'as pas besoin de me convaincre. Tu étais aussi abasourdie que nous autres tout à l'heure. Je n'en veux pas à Oliver. Je pense que la tumeur avait dû affecter sa raison. Sinon, il aurait vu lui-même la situation impossible dans laquelle il nous fourrait. Quoi qu'il en soit, et à moins de contester le testament devant les tribunaux — ce que je n'ai pas l'intention de faire —, cela nous laisse deux options.

Comme Gina s'apprêtait à protester, il leva une main en signe d'apaisement.

— Attends. Je possède quinze pour cent des parts de la compagnie, Oliver en avait soixante, le quart restant étant réparti entre les membres du conseil. Si nous ne nous conformons pas à la condition stipulée, nous donnerons à certains l'opportunité de prendre le contrôle du groupe Harlow. Et je n'y tiens pas non plus. Ce qui ne nous laisse plus qu'une option.

Gina l'observait, cherchant sur ses traits quelque trace de l'homme passionné avec qui elle avait passé la nuit. Il n'y avait plus aucune douceur dans son expression ni dans les yeux gris. Il redevenait un homme distant, totalement étranger.

— En ce qui te concerne, peut-être, déclara-t-elle enfin. Mais pas pour moi. Tu penses vraiment que j'épouserais un homme que je connais à peine pour... ?

Elle s'interrompit en le voyant hausser un sourcil ironique, ce qui fit naître une brusque chaleur au fond d'elle-même.

— ... pour satisfaire son envie de pouvoir ? acheva-t-elle sur une note dure.

— Je ne serai pas le seul gagnant dans l'histoire, répondit-il d'une voix impassible. Tu percevras des millions, de plein droit. Peux-tu honnêtement dire que cela te laisse indifférente ?

Il avait raison. Qui serait resté insensible à l'idée d'entrer en possession d'une telle fortune ?

— Non, admit-elle, mais l'argent n'est pas tout.

Ross l'étudia un long moment, sans rien laisser paraître de ses pensées, et ce fut d'une voix mesurée qu'il déclara :

— Ce ne sera pas un mariage à long terme. Rien ne nous empêche de divorcer une fois que tout sera réglé. Dans l'intervalle, nous mènerons des vies séparées. Par la suite, je continuerai à diriger la société. Tout ce que je te demande, c'est de me vendre assez d'actions pour que je sois majoritaire. Je reprendrai ainsi le contrôle de la société. Tu n'as pas besoin d'être impliquée dans les affaires...

En entendant cet exposé froid, Gina sentit la colère l'envahir avec force. Ce type n'était qu'un vil calculateur ! La nuit dernière, elle n'avait été pour lui qu'une passade ; elle l'avait su bien sûr...

Mais le prendre ainsi, en pleine figure ! Dès lors, le besoin de le défier domina tout le reste.

— Pas si vite ! Je n'ai peut-être pas ton sens des affaires, mais si je décide de te suivre dans cette histoire, je veux occuper ma place au conseil d'administration, *avant* et *après* le divorce !

— Ne sois pas ridicule ! lança Ross, les mâchoires serrées. Tu as autant de connaissances sur la façon de diriger une grande entreprise que j'en ai sur la gestion des stocks d'un magasin !

— Tu n'auras qu'à me montrer les ficelles du métier. Tu... Vous resterez toujours l'actionnaire majoritaire, après tout, cher monsieur. Je vous prie de renoncer au tutoiement. Je suis votre associée.

Les yeux gris devinrent froids comme le granite.

— Je pensais bien te... vous connaître. J'avais tort, semble-t-il.

— Complètement. Je ne vais pas prétendre que la nuit dernière n'ait pas été formidable, mais n'allez pas vous mettre en tête que cela influence ma présente décision.

Le sourire qu'il ébaucha la dérouta un instant, mais Gina n'allait pas s'arrêter en si bon chemin. Ni surtout faire marche arrière. Quelle idiote elle serait de tourner le dos à tous ces millions !

— Donc, c'est oui ? Et vos parents ? Comment vont-ils réagir ?

Jusqu'à cet instant, elle ne leur avait pas accordé une seule pensée, reconnut-elle. Mais elle était allée trop loin pour se laisser déstabiliser.

— Ils feront face, assura-t-elle, étonnée elle-même par son aplomb. Ils voudront ce qui est le mieux pour moi.

Ross ébaucha un sourire bref.

— Ça se comprend. Très bien. Nous commencerons demain matin. Il y a une réunion du conseil d'administration à 10 heures.

Tout allait trop vite. Beaucoup trop vite ! Pourtant, quelque chose en elle refusait encore d'abandonner la partie.

— Je l'attends avec impatience, déclara-t-elle. Nous nous y rendrons ensemble ?

— Michael vous y conduira.

— Ah ! Vous avez une partenaire en vue pour cette nuit ? railla-t-elle. Karin Trent, peut-être ? Elle avait l'air terriblement intéressée.

Ross choisit de ne pas répondre à cette question.

— Nous ferions mieux de prévenir les autres de notre décision. Vous trouverez Roxanne beaucoup moins conciliante que ma mère.

— Oh ! Les griffes de votre sœur ne sont pas si acérées, lança-t-elle, davantage par bravade que par conviction.

— Je ne parierais pas là-dessus.

Gina se leva, peu surprise de constater qu'elle chancelait. Cependant, elle s'écarta vivement quand, instinctivement, Ross la saisit par le bras.

— Ça ira !

Ils trouvèrent Elinor et Roxanne dans le salon, le notaire ayant pris congé.

— Je réclame mon dû ! explosa Roxanne en les voyant.

— Tu reçois déjà beaucoup plus que ce que tu mérites, répondit sèchement son frère. Si j'avais eu mon mot à dire, tu n'aurais rien eu ! Cela dit, nous ne sommes pas là pour discuter de toi.

Puis se tournant vers sa mère :

— Nous acceptons la condition.

La réaction d'Elinor fut tout à fait déplacée, dans ces circonstances. Elle s'empressa de serrer Gina dans ses bras d'un air ravi.

— Je n'aurais pas voulu d'autre belle-fille !

Gina déglutit péniblement, se demandant si la mère de Ross aurait été aussi enthousiaste si elle avait su que leur union

56

serait de courte durée. Mon Dieu ! Qu'est-ce qui lui avait pris d'accepter cette comédie ? Heureusement, il n'était pas trop tard pour dire non.

— Vous souhaitez que le mariage ait lieu le plus tôt possible, je suppose ? demanda Elinor. Dans un mois ? En faisant appel à une agence spécialisée dans l'organisation d'événements…

— Ne t'emballe pas, répondit Ross d'une voix brève. Une cérémonie civile suffira.

— Voyons, tu ne peux pas faire ça. Pas dans notre famille, pas dans cette ville ! Il faut que ce soit un grand jour !

— Je ne suis pas de cet avis.

— Moi si, intervint Gina, furieuse de ses airs autoritaires. Votre mère a raison. C'est ce que tout le monde attend.

Ross esquissa une moue de dérision.

— Si le déballage médiatique vous enchante, allez-y ! Ne venez pas vous plaindre quand vous verrez toute votre vie étalée dans les journaux !

— Cela arrivera de toute façon, déclara Elinor. Un mariage intime n'arrêtera pas la presse à scandale.

Ross haussa les épaules.

— Pour ma part, je prendrais bien un verre, annonça-t-il. Quelqu'un m'accompagne ?

— Trop tôt pour moi, déclara Elinor.

De fait, il n'était que 15 heures passées, découvrit Gina avec stupeur. En une heure, son destin venait de basculer.

— Voulez-vous me servir un gin tonic ? demanda-t-elle, sentant qu'elle avait besoin d'un remontant.

Roxanne se dirigea à pas raides vers la porte, les traits durs et crispés. Une attitude d'enfant gâtée, songea Gina. Qu'avait-elle pu faire pour que son frère la déteste à ce point ? Oliver ne l'avait pas portée non plus dans son cœur, si l'on considérait la somme relativement ridicule qu'il lui laissait.

Mais ce n'était pas son problème. Elle aurait assez de mal à endosser le rôle qu'elle avait accepté sans se mêler de leurs histoires de famille.

Elle observa Ross, qui servait les alcools, et fut incapable de maîtriser un frisson, en repassant dans son esprit les images de son corps nu, viril et svelte. Seigneur ! Comme il savait y faire avec les femmes ! L'expérience, évidemment. Il avait certainement oublié combien d'entre elles étaient passées dans sa vie.

Une fois mariés, ils resteraient libres, avait-il décrété. Pour lui, cela impliquait forcément de continuer à collectionner les conquêtes. L'émotion qui la saisit à cette pensée était reconnaissable entre toutes. Oui, bien qu'il ne fût pas exactement celui qu'elle croyait, il exerçait toujours sur elle le même effet insensé. C'était en grande partie la raison pour laquelle elle avait accepté cette « condition », admit-elle pour elle-même. Il l'avait désirée pendant une nuit, et pourrait bien la désirer encore si elle montrait quelque disposition… Mais cela ne changerait rien. Entre eux, ce serait un mariage de convenance, et rien d'autre.

Prenant le verre qu'il lui tendait, elle se força à rencontrer son regard. Et comme d'habitude, elle n'avait aucune idée de ce qu'il pensait.

— Vous avez besoin d'étoffer votre garde-robe, évidemment, déclara Elinor. Je peux vous rejoindre en ville demain à l'heure du déjeuner, et vous montrer les meilleures boutiques.

— Elle préférerait peut-être se faire envoyer ses affaires, fit remarquer Ross.

— Cela risque de prendre du temps, répliqua sa mère, le visage animé et les yeux brillants. Vous serez amenée à remplir toutes sortes de fonctions, Gina. Il y a une grande soirée de charité, bientôt. Il vous faut une tenue élégante.

— Tu vas finir par l'effrayer, cette petite, commenta sèchement Ross.

58

Si Gina se sentait dépassée par les projets d'Elinor, ce qualificatif de « petite » lui rendit l'énergie de protester.

— Au contraire ! répondit-elle froidement. J'ai hâte de me mettre dans le bain. C'est une excellente idée, Elinor. Les vêtements que j'ai ne conviendraient pas, de toute façon.

Ross haussa les épaules avec indifférence.

— Comme vous voudrez. Je vous procurerai l'argent nécessaire en attendant que vous ayez un compte, ce qui prendra un jour ou deux.

— Je peux couvrir mes propres dépenses ! jeta Gina.

Sa remarque fit naître un sourire sardonique sur les lèvres de son interlocuteur.

— Vu les endroits où ma mère a l'intention de vous emmener, ça m'étonnerait.

— Mon fils a raison, intervint Elinor. Une robe convenable pour les occasions dont je vous parle coûte plusieurs milliers de dollars, sans parler des accessoires. Dans les milieux que vous fréquenterez, on vous jugera sur votre mise.

Gina se mordit la lèvre, en se rendant compte où elle mettait les pieds.

— On dirait que je n'ai vraiment pas le choix, céda-t-elle enfin.

— Formidable ! Nous irons déjeuner au Harry's Bar, puis nous ferons les boutiques de Rodeo Drive, conclut Elinor avec enthousiasme.

Ross les quitta peu après, sans chercher à avoir un nouvel entretien avec elle. Sans doute comptait-il sur la réunion prévue le lendemain pour lui montrer combien elle était ridicule de vouloir se maintenir au courant des affaires. Au fond d'elle-même, Gina reconnaissait qu'il avait raison, mais elle ne se laisserait pas mettre sur la touche si facilement. Et elle pourrait toujours apprendre ce qu'elle ne savait pas.

Elinor se chargea de l'éclairer à ce sujet : Oliver avait cédé la présidence du groupe Harlow à Ross quand il avait su qu'il était condamné par la maladie. Le conseil d'administration comptait neuf membres, Gina incluse. Quatre d'entre eux, menés par un certain Warren Boxhall, tenaient à ce que la société passe aux mains des principaux actionnaires. Une position qu'Oliver avait rejetée d'emblée, tout comme Ross.

— Warren va essayer de vous rallier à sa cause, l'avertit encore Elinor. Vous disposez d'un tiers du capital ; il pourrait vous forcer la main.

— En ce qui me concerne, le groupe n'a rien à craindre, assura Gina.

— J'en suis sûre. Vous êtes une vraie Harlow, déclara Elinor en souriant.

Elle hésita avant d'ajouter :

— Je sais que ce mariage vous est imposé, mais ça marchera. Je sens que vous avez déjà des sentiments l'un pour l'autre, n'est-ce pas ?

Opposer un déni catégorique était une perte de temps, se dit Gina. La mère de Ross n'était pas stupide.

— D'une certaine façon, admit-elle.

— C'est un bon début, ma chère Gina. Le bonheur viendra ensuite. Vous êtes la femme qu'il faut à mon fils : quelqu'un capable de lui tenir tête, de le remettre à sa place le cas échéant. Je ne me fais pas d'illusion sur lui. Il a une volonté de fer qui confine parfois à l'arrogance.

— Je l'avais remarqué !

Puis submergée par la culpabilité, Gina se mordit la lèvre pour ne pas livrer la vérité sur ce mariage. Les préparatifs procureraient à Elinor quelques semaines de bonheur. Pourquoi la détromper maintenant ?

Roxanne n'ayant pas reparu de l'après-midi, Gina pensa qu'elle était sortie. Aussi reçut-elle un choc quand, montant dans sa chambre avant le dîner, elle trouva la jeune femme qui l'attendait. Une Roxanne très différente, souriante et repentante.

— Je me suis mal comportée envers vous, annonça-t-elle d'emblée. J'étais jalouse, je crois. Papa et moi avions toujours été si proches, jusqu'à ce que j'apprenne votre existence. Imaginez le choc !

— Je comprends, répondit Gina en se demandant où elle voulait en venir. J'ai eu la même réaction en recevant sa lettre. Je ne savais rien de mon passé.

— Ça doit être terrible, de ne pas avoir connu sa mère. Votre vraie mère, je veux dire.

— J'ai au moins eu la chance de rencontrer mon grand-père, même pour un bref moment. Mais je suis désolée de la tournure qu'ont prise les événements. Je ne pouvais pas prévoir qu'il ferait cela.

— Vous vous demandez pourquoi il m'a laissé si peu d'argent ?

— Non. Cela ne me regarde pas, coupa Gina.

— Il n'aimait pas certains de mes amis, poursuivit néanmoins Roxanne. Il disait qu'ils ne s'intéressaient à moi que dans la mesure où j'étais une Harlow. Et il a eu l'idée de me le prouver ! Maintenant, je suis coincée !

— Vous voulez dire que vous devez de l'argent ?

— En effet. J'ai investi dans un projet qui est tombé à l'eau, et les gens qui m'ont avancé les fonds me pressent de les rembourser.

— Ils attendront bien que vous ayez touché votre héritage.

Roxanne fit entendre un rire grinçant.

— Vous oubliez qu'il s'agit d'une rente. Je n'entrerai jamais en possession du capital.

Tout était clair à présent. Quelle comédienne ! songea Gina.

— Quelle somme devez-vous ?

— Trois cent mille dollars.

Gina la fixa, stupéfaite. Si l'idée d'emprunter cette somme était folle en soi, la perdre devait être un cauchemar !

— Et c'est à moi que vous la demandez ? Que faites-vous de votre mère et de Ross ?

Roxanne ébaucha un sourire d'excuse.

— Je préférerais les laisser en dehors de ça.

Et ce n'était pas surprenant ! Gina haussa les épaules.

— Je ne vois pas ce que je peux faire. Je n'ai pas accès à l'argent pour l'instant.

— Mais vous l'aurez, quand Ross vous aura ouvert un compte, répondit Roxanne avec une ferveur redoublée comme si elle pressentait la victoire. Je vous serais *éternellement* reconnaissante.

Jusqu'au prochain problème ! Cette fille la prenait-elle pour une bonne poire ? songea Gina.

— Je regrette, répondit-elle. Mais c'est non.

L'espoir disparut des traits de son interlocutrice, remplacé par une haine si féroce qu'elle recula d'un pas.

— Vous me le paierez ! glapit Roxanne. Soyez-en sûre !

Puis, sans attendre la réponse, elle sortit de la pièce en claquant la porte.

Les jambes tremblantes, Gina s'effondra dans un fauteuil, bouleversée. Le frère et la sœur se ressemblaient bel et bien finalement. Ils se souciaient exclusivement d'eux-mêmes !

Le trajet en limousine s'accomplit en silence. Bien que Gina ait baissé la vitre de séparation, Michael semblait peu disposé à bavarder.

Elle avait passé une nuit agitée, tentée par moments de tout plaquer pour rentrer en Angleterre, et à d'autres, résolue à vivre cette situation jusqu'au bout. Ce n'était pas tous les jours qu'on héritait d'une fortune pareille, n'est-ce pas ?

Elle était nerveuse en pensant à la réunion qui l'attendait, mais déterminée aussi. De sorte qu'elle prit son temps jusqu'à ce qu'elle n'eût plus aucune chance d'arriver à l'heure au rendez-vous. Il était donc déjà 10 h 5 quand Michael s'arrêta devant l'imposante entrée du siège des hôtels Harlow. Portant son tailleur crème et ses escarpins beiges, Gina entra dans le hall d'un air assuré.

Le réceptionniste la guida aimablement vers un ascenseur privé, et dès que les portes de la cabine se rouvrirent, elle fut accueillie par la secrétaire de Ross.

— Oh ! Ravie de vous revoir, mademoiselle Saxton.

— Appelez-moi Gina.

— D'accord. Ils sont tous là, reprit Penny en indiquant une double porte.

Gina eut un rire de nervosité.

— Et je suis en retard pour ma première réunion !

— Le privilège du pouvoir, répondit Penny, amusée. Venez, je vais vous conduire à la salle du conseil.

Traversant le corridor dans son sillage, Gina se raidit dans l'attente de l'épreuve à venir.

Il y avait six hommes et deux femmes autour de la table d'acajou cirée qui occupait presque toute la longueur de la pièce lambrissée. Tous les visages se tournèrent vers elle, et les hommes se levèrent. En s'intimant de garder son sang-froid, Gina salua l'assemblée de la main.

— Restez assis, je vous en prie. Ces formalités sont inutiles.

Ross la fixa avec une expression indéchiffrable, tandis qu'elle gagnait le bout de la table où il se tenait. Vêtu d'un costume sombre, il incarnait impeccablement le cadre supérieur.

— Vous êtes en retard, l'informa-t-il.

— Je sais, répondit-elle avec un large sourire. Désolée de vous avoir fait attendre. Je ne savais vraiment pas quelle tenue choisir. Où dois-je m'asseoir ?

Une lueur dangereuse au fond des yeux, Ross lui indiqua le fauteuil vide à sa droite.

— Ici, évidemment !

— Excellente idée !

Elle prit place et inspecta l'assemblée avec intérêt. Il n'y avait qu'un seul visage dont l'expression semblait bienveillante.

Ross commença les présentations. Le visage sympathique s'avéra être celui de Warren Boxhall. D'une dizaine d'années plus âgé que Ross, l'homme était encore très séduisant. Elle retint à peine les autres noms.

— Faites comme si je n'étais pas là, suggéra-t-elle quand les présentations furent terminées. J'apprendrai en vous écoutant. Je ne sais pas ce qu'il en est pour vous, mais en ce qui me concerne, un café ne serait pas de refus.

— Il sera servi dans un moment, déclara Ross d'un ton glacial. En attendant, nous allons continuer.

Gina rassembla toute son attention et se trouva bientôt plongée dans les arcanes de la haute finance. A côté, la gestion du magasin était un jeu d'enfant !

Elle devait mettre Barbara au courant de la situation, pensa-t-elle dans un moment de distraction. Il était normal de lui céder la boutique. Parler du testament à ses parents allait être plus difficile. Ils comprendraient aisément l'enjeu financier ; quant à la condition du mariage, ce serait une autre histoire, encore qu'ils accueilleraient avec soulagement sans doute le caractère temporaire de celui-ci.

Elle revint au présent pour entendre Ross clore la réunion. Les membres du conseil quittèrent lentement la salle en bavardant à voix basse. Il y avait fort à parier qu'elle était au centre de toutes les conversations.

— A quoi jouiez-vous tout à l'heure ? demanda Ross, l'air maussade.

— Jouer ?

— Vous savez très bien de quoi je parle. Arriver en retard, faire la blonde écervelée…

— Parce que ce n'est pas ainsi que vous me considérez ?

Les yeux gris prirent une expression nouvelle.

— Si c'est l'impression que je vous ai donnée l'autre nuit, je ne sais plus m'y prendre. Je vous ai entraînée au lit, parce que c'était ce que nous voulions tous les deux. Ce que je désire encore, pour être franc. Entre nous, il ne s'agirait pas que d'un mariage blanc.

— Hors de question ! répliqua Gina. Je suis sûre que vous n'aurez aucune difficulté à satisfaire ailleurs vos envies. J'en ferai autant.

Il y eut un silence, durant lequel il continua à l'observer d'un regard énigmatique.

— Nous nous en accommoderons, convint-il finalement. Je dois partir bientôt pour Vancouver. Vous feriez mieux de m'accompagner.

— Pourquoi ?

— N'est-ce pas évident ? Si vous tenez à prendre des responsabilités au sein des affaires, vous devez aussi vous impliquer sur le terrain. L'hôtel Harlow de Vancouver est notre dernier-né. Je ne l'ai pas encore vu moi-même. Rassurez-vous, nous nous rendrons à ce bal de charité.

Gina ne retint qu'un seul mot de cette déclaration.

— Vous viendrez ?

— Oui. Maintenant, vous feriez mieux de partir. Ma mère sera ici d'une minute à l'autre, prête à dévaliser les magasins. Elle pense beaucoup de bien de vous, Gina, ajouta-t-il d'une voix radoucie.

— Je l'apprécie beaucoup, moi aussi, répondit-elle sincèrement. Et je trouve d'autant plus pénible de lui laisser croire que ce mariage sera solide.

— Elle sait qu'il ne s'agit pas d'un mariage d'amour, c'est déjà ça. Je descends avec vous. Je dois rencontrer quelqu'un pour le déjeuner.

Une femme sans aucun doute, pensa-t-elle.

— Serez-vous au bureau cet après-midi, ou dois-je reporter ce qui est prévu à l'agenda ? demanda Penny comme ils quittaient la salle du conseil.

— Je serai là, répondit Ross.

Puis, il la dévisagea avec circonspection :

— Vous avez quelque chose de changé, aujourd'hui.

— Je suis enceinte ! annonça Penny avec un sourire radieux.

— Félicitations ! s'écria Ross, l'air sincèrement ravi. Prenez soin de vous à partir de maintenant.

— Et ce déjeuner ? demanda Gina d'un ton qu'elle voulait neutre, lorsqu'ils furent dans l'ascenseur. Est-ce un rendez-vous d'affaires ou un moment de détente ?

— Comme si vous n'aviez pas déjà votre petite idée sur la question ! Je rencontre effectivement une femme. Isabel Dantry est à la tête de l'une des meilleures banques d'investissement de la ville.

Ils avaient atteint le rez-de-chaussée. Gina sortit la première de la cabine et agita la main en direction d'Elinor qui pénétrait dans le hall.

Il ne s'agirait pas d'un mariage blanc... Ce que Ross avait dit quelques minutes plus tôt lui trottait toujours dans la tête. Puisqu'elle était attirée par lui, cette union était-elle une si mauvaise idée après tout ? Qui sait si des sentiments plus profonds ne naîtraient pas du désir mutuel ?

5.

Gina avisait son reflet avec satisfaction, dans le miroir en pied. La robe longue de soie vert pâle, avec son décolleté asymétrique qui laissait un bras nu, épousait parfaitement ses courbes. Le styliste avait raccourci ses cheveux le matin même, et ils retombaient maintenant en une cascade dorée sur ses épaules. Son poignet nu était orné d'un bracelet en diamants. Ses pendants d'oreilles, également en diamants, ajoutaient une note précieuse et raffinée à l'ensemble.

Etant donné le prix de cette tenue, elle pouvait paraître à son avantage ! Elinor ne lésinait pas sur l'apparence.

Depuis ce fameux après-midi où elles avaient acheté ces folies, elle n'avait vu Ross que rarement. Un bureau avait été aménagé pour elle, et elle avait passé son temps à compulser des liasses de paperasseries concernant le groupe Harlow.

En revanche, Warren Boxhall n'avait pas perdu de temps pour faire la démarche qu'Elinor avait anticipée. Dès le lendemain, il l'avait abordée. Et bien qu'elle eût refusé sa proposition d'unir leurs forces, Gina avait le sentiment qu'il n'abandonnerait pas la partie.

Ross serait là d'une minute à l'autre, se dit-elle soudain en enfilant des escarpins en chevreau à talons vertigineux, mais confortables. Elle se sentait terriblement nerveuse pour cette première sortie officielle.

Prenant une profonde inspiration, elle se contempla une dernière fois dans le miroir, puis s'emparant d'une fine étole et de sa pochette de soirée, elle sortit de la chambre.

Ross était déjà là, sanglé dans un smoking noir. En la voyant descendre l'escalier, il la toisa de la tête aux pieds avec une expression que Gina jugea encourageante.

— Vous êtes époustouflante ! déclara-t-il.

Il lui prit l'étole des mains, et lui enveloppa les épaules. Elle sentit ses doigts tièdes s'attarder sur sa peau nue, ranimant le souvenir de cette nuit torride qu'ils avaient partagée une semaine plus tôt. Troublée, elle ne put réprimer un frisson voluptueux.

Mais s'il s'en aperçut, Ross ne le montra pas, et Elinor les regarda partir avec satisfaction.

Michael leur ouvrit la portière avant de s'installer au volant.

— Ne nous attendez pas en fin de soirée, lui dit Ross. Nous prendrons un taxi.

— C'est très gentil à vous, monsieur. Lydia sera contente.

Ross pressa le bouton qui actionnait la vitre de séparation, indiquant la fin de la conversation. Gina trouva ce geste quelque peu embarrassant.

— Vous ne parlez pas à votre personnel ? demanda-t-elle d'un ton appuyé.

— Pas quand j'ai autre chose en tête. Vous êtes consciente que vous attirerez tous les regards, ce soir ? Et pas seulement à cause de votre robe ?

— Vous voulez dire que le contenu du testament est déjà connu ?

— Oui. La nouvelle a fait des vagues, pour ne dire que cela. Avez-vous déjà été approchée par les journalistes ?

— Non ! répondit Gina d'une voix alarmée. On va m'interviewer ?

— Il y a des chances. Votre histoire est peu commune. Quelqu'un pourrait même avoir l'idée d'en faire un film.

— Vous plaisantez ?

Un sourire joua sur les lèvres de Ross.

— Pas du tout. Vous pourriez jouer votre propre rôle.

— Alors, je serai à la hauteur, répondit-elle malicieusement.

Puis après avoir hésité, elle ajouta d'un ton assuré :

— Vous aviez dû penser à une partenaire pour vous accompagner, ce soir ?

— En effet.

— Elle doit être… très mécontente. Et pas seulement à cause de ce soir.

Il tourna vers elle un regard amusé.

— C'est le moins qu'on puisse dire !

— Vous lui avez dit que le mariage serait temporaire ?

— Je ne vois aucune raison d'en parler à qui que ce soit. Cela reste entre nous.

— En somme, vous vous en fichez complètement !

— Pourquoi faites-vous l'étonnée ? Vous m'avez jugé arrogant dès le premier jour de votre arrivée !

— Un jugement très sensé ! Les femmes sont pour vous de la chair à canon !

Un nouveau sourire incurva les lèvres de son compagnon.

— Vous avez une façon de parler ! Je n'ai pas eu plus d'aventures que la plupart des hommes de mon âge.

— Mais le mariage n'a jamais figuré dans vos priorités.

— Dans cette ville, c'est un passeport pour le désastre.

— Celui de votre mère et d'Oliver a été réussi, fit-elle remarquer.

— L'exception qui confirme la règle. Comment votre famille a-t-elle pris la nouvelle ? demanda-t-il d'une voix changée.

— Je ne leur ai encore rien dit, avoua-t-elle avec réticence.

— Pourquoi ?

— J'ai encore du mal à accepter moi-même la situation, répondit-elle avec franchise. Je les appellerai demain.

— Pensez aussi à votre associée, car je présume que vous ne l'avez pas mise au courant ? Vous avez toujours l'intention de lui céder votre magasin ?

— Bien sûr. Ça m'étonnerait que j'aie encore besoin de ce revenu.

— C'est juste. Pourtant, tout le monde ne serait pas prêt à faire ce geste. J'espère qu'elle l'appréciera.

Pour l'heure, Gina avait bien d'autres soucis en tête. Dans quelques minutes, elle se trouverait plongée dans un monde que jusque-là elle n'avait vu qu'à l'écran. *Et elle serait le point de mire*, Ross l'avait avertie. Oui, il allait lui falloir tout ce qu'elle possédait d'assurance pour endurer les prochaines heures, sans parler des jours et des semaines à venir. Oh ! Pourquoi avait-elle accepté de se prêter à cette comédie ?

Le gala de charité avait lieu à l'hôtel Harlow de Los Angeles. Les flashes des photographes se mirent à crépiter dès qu'ils descendirent de voiture, et une horde de journalistes se pressa autour d'eux dans un brouhaha indescriptible. Ross en fit son affaire avant de la guider sans plus d'encombres vers l'entrée.

Gina fut impressionnée par la magnificence de l'endroit. Comme ils se mêlaient à la foule qui occupait déjà le vaste salon, elle nota qu'on saluait Ross de tous côtés. Il répondait avec une insouciance que Gina lui enviait. Elle oublia quantité de noms et de visages, bien qu'elle reconnût quelques célébrités. Seigneur ! Jamais elle ne parviendrait à s'intégrer dans cet environnement, pensa-t-elle, complètement dépassée. Heureusement qu'elle n'aurait pas à fournir cet effort très longtemps.

Ross réussit à semer un présentateur de télévision en guidant Gina vers un ascenseur dont les portes se refermèrent sur eux.

Un instant plus tard, la jeune femme découvrait, illuminée par une multitude de candélabres, l'immense salle du restaurant. Partout, le cristal et l'argenterie scintillaient. Leur table se trouvant au bord de la piste de danse, ils durent passer devant tous les convives déjà attablés. Gina releva ce nouveau défi en plaquant un sourire sur ses lèvres.

Ross lui présenta Meryl et Jack Thornton, des amis de longue date, comprit-elle, installés dans l'immobilier. Ils la mirent immédiatement à l'aise, gardant pour eux leur curiosité.

Vint ensuite le somptueux dîner, assez déplacé, étant donné le but de la soirée, se dit Gina. Les couples dansaient entre chaque plat. Lovée dans les bras de Ross, la jeune femme sentit sa tension croître au contact de la musculature de ses cuisses viriles. Elle avait beau se répéter qu'il était un abominable macho, elle ne l'en désirait pas moins...

La caresse de ses lèvres contre sa joue faillit la déstabiliser tout à fait.

— Continuez à être aussi réceptive, murmura-t-il contre sa peau. La soirée ne durera pas éternellement.

Elle devait lui dire d'aller au diable, elle le savait ; mais en cet instant elle en était incapable. Le fait qu'il pût la trouver désirable au milieu d'une salle remplie de stars somptueuses était plutôt stimulant. Pourquoi ne pas profiter du temps qu'ils avaient à passer ensemble ?

Il était près de minuit quand Gina apprit, au cours des conversations, que les hôtels Harlow étaient l'un des principaux sponsors de cette action caritative ; mais elle fut catastrophée quand on lui demanda, ainsi qu'à Ross, de lancer l'appel aux dons.

— Courage, lui murmura-t-il comme ils gagnaient la piste.

Facile à dire ! Garder le sourire tout en sachant qu'elle était l'objet de toutes les spéculations était certainement la tâche la plus pénible qu'elle ait jamais eu à accomplir. Elle enviait l'aisance avec laquelle il parla de la nécessité de soutenir cette cause, et fut soulagée de ne pas avoir à prononcer un mot.

— J'essaie de persuader Ross d'investir dans une propriété, déclara Meryl à Gina, quand elles se retrouvèrent au vestiaire un peu plus tard. Mais il ne veut rien savoir. Je ne peux pas l'en blâmer ; la suite qu'il occupe est splendide, n'est-ce pas ?

— Je ne l'ai pas encore vue, avoua Gina.

— Vous ne… ? Je pensais que…, commença Meryl, avant de s'arrêter, confuse. Oh ! Quelle gaffe ! Oubliez ça.

Gina décida de mettre cartes sur table.

— Vous pouvez aborder le sujet franchement. Après tout, c'est *la* conversation du moment, non ?

Meryl se mit à rire, soulagée.

— Ça, on peut le dire ! Un drôle de choc. Surtout pour Ross, j'imagine. Il avait réussi à se tenir à l'écart du mariage jusque-là, même si une personne que je ne citerai pas s'efforçait de le faire changer d'avis.

Gina fit semblant d'appliquer son rouge à lèvres avec concentration.

— Une femme qui est ici ce soir ?

— Elle l'aurait été si vous n'étiez pas venue. Elle doit fulminer ! Pas un homme ne laisse tomber Dione Richards, même pour une future épouse !

Gina sentit sa gorge se contracter violemment.

— La célèbre… *Dione Richards* ?

Meryl croisa le regard de Gina dans le miroir avec une expression admirative.

— Vous êtes drôlement bien vous-même ! Ross a de la chance. Il aurait pu se voir affublé d'une mocheté.

« Pour ce que cela aurait changé ! » pensa Gina en revenant vers leur table. Dione Richards avait été élue « Plus Belle Femme De L'Année », un an plus tôt. Qui pouvait rivaliser avec ça ?

Un taxi les attendait devant l'entrée, et Gina ne fit pas d'objection quand Ross demanda au chauffeur de les conduire à l'hôtel Harlow de Beverly Hills.

Il y avait peu de monde dans le salon de l'hôtel. Malgré tout, en y entrant, Gina sentit les regards tournés vers eux, tandis qu'ils gagnaient un ascenseur privé. Depuis un moment, la jeune femme sentait son estomac se soulever désagréablement. Elle avait probablement bu trop de champagne… La montée vers les étages n'arrangea pas son état nauséeux, et elle pria pour ne pas être malade.

Sur le palier, elle eut seulement une impression floue de ce qui l'entourait, puis Ross ouvrit une porte. Sans un mot, il la prit par le bras et la conduisit directement vers la salle de bains.

Elle fut horriblement malade. Quand enfin elle fut soulagée, la tête continuait de lui tourner. Comment avait-elle pu être aussi stupide ? Elle ne supportait pas le champagne, mais elle n'avait pas voulu en tenir compte cette fois. Pour faire comme tout le monde et aussi parce qu'elle avait éprouvé le besoin de se fortifier. Eh bien, elle payait cher son attitude ridicule ! Elle devait être la première femme qu'il eût ramenée chez lui à passer son temps au-dessus de la cuvette des toilettes !

Quand enfin elle émergea de la salle de bains, ses jambes flageolaient. Ross l'attendait dans le vestibule.

— Ça va mieux ? s'enquit-il avec sollicitude.

Gina préféra répondre par un hochement de tête et le regretta aussitôt quand des élancements douloureux lui serrèrent les tempes.

— Apparemment non, constata-t-il en la voyant grimacer.

— Je suis désolée d'être si mal en point.

Il balaya cela d'un geste désinvolte.

— Cela arrive. J'aurais dû me souvenir que vous n'aimiez pas le champagne.

— Je n'étais pas obligée d'en boire. Si vous voulez bien m'appeler un taxi, je…

— Vous n'irez nulle part dans cet état, coupa-t-il, catégorique. Prenez la chambre d'amis, nous verrons demain comment vous vous sentirez.

— Je ne peux pas…, commença-t-elle.

Puis comme son estomac se contractait de nouveau, elle décida qu'il était inutile d'insister.

— Désolée, répéta-t-elle.

Elle se tut en surprenant le sourire ironique sur les lèvres de son compagnon, qui lui indiqua sa chambre.

La pièce était spacieuse et joliment meublée. Deux grands lits y trônaient. Il y avait une salle de bains attenante.

— Tout ira bien, dit-elle avec plus d'assurance qu'elle n'en ressentait. Bonne nuit, Ross. Et… merci.

— Pas de quoi.

Il referma doucement la porte, la laissant là, au milieu de la chambre. Quel désastre ! Ce n'était décidément pas ce qu'elle avait espéré… Elle aurait voulu retrouver une certaine intimité avec Ross, et voilà qu'elle était malade, comme une collégienne au bal des débutantes ! Mieux valait dormir, et oublier les adversaires de la soirée : une « Plus Belle Femme De L'Année », et une bouteille de champagne mal digérée…

Gina se réveilla au son d'une musique douce.

Il était un peu plus de 8 heures. Ramassant son soutien-gorge et son slip, elle se rendit dans la salle de bains et s'examina dans la glace avec dégoût. Elle avait les yeux cernés. Elle prit une douche et enfila ses sous-vêtements. Le peignoir en éponge pendu à la porte était juste à sa taille. Elle l'enfila, un peu gênée à l'idée que d'autres l'avaient porté avant elle.

Elle entendait toujours la musique quand elle quitta la chambre. Par une double porte, elle accéda à un immense salon, avec des baies vitrées qui offraient une vue superbe sur les montagnes.

Vêtu d'une robe de chambre en cachemire, Ross était assis à une table, sur le balcon. Il leva les yeux de son journal à son approche, l'air interrogateur.

— Je vais très bien, déclara-t-elle, sans oser le regarder en face. Ça sent le café, n'est-ce pas ?

Il prit la cafetière sans mot dire et remplit une autre tasse, qu'il poussa vers elle, tandis qu'elle prenait place.

— Vous avez l'air d'une gamine bien débarbouillée, fit-il remarquer.

— Et bien punie. J'aurais dû être plus raisonnable.

— Je me suis moi-même laissé aller à des excès par le passé. Ne vous fustigez pas. Vous n'êtes pas la première à qui cela arrive, vous ne serez pas la dernière non plus.

Elle le regarda, les paupières à demi baissées, les sens en alerte. Son visage fraîchement rasé et son torse nu et doré dans l'encolure de la robe de chambre l'émouvaient infiniment. Gina passa le bout de la langue sur ses lèvres sèches.

— Vous avez faim ?

Confuse, elle rencontra son regard posé sur elle, persuadée qu'il savait ce qui se passait dans sa tête. Il devait cacher son jeu pourtant, car son expression était dénuée d'ironie.

— Qu'est-ce qui vous ferait plaisir ?

— Des toasts, cela m'ira très bien.

Il ébaucha un sourire bref.

— Je vais vous les faire, il y a une petite cuisine.

— Non, laissez, je vais m'en occuper, dit-elle en tournant les talons.

Gina rentra dans le salon et, tout en gagnant le fond de la pièce, prit le temps d'admirer le décor clair et résolument moderne. Le mobilier — scandinave, crut-elle deviner — était d'excellente qualité. Mais pouvait-il en être autrement ?

Comme elle l'avait prévu, la kitchenette était bien équipée. Gina jeta un coup d'œil à l'intérieur du réfrigérateur américain et se mit à préparer un plateau.

— Vous êtes une vraie maîtresse de maison, commenta Ross quand elle lui présenta le tout.

Elle se mit à rire, déterminée à prendre les choses du bon côté.

— Prenez un toast. Tout vient de l'éducation. J'avoue que j'ai du mal à vous imaginer dans une vie casanière.

— Ça pourrait avoir ses avantages.

— D'avoir une femme disponible à tout moment, par exemple ?

Son sourire en coin amena une brusque chaleur aux joues de Gina. Ces mots lui avaient échappé.

— Vous n'avez jamais eu de problèmes de ce côté-là, bien sûr, ajouta-t-elle pour se rendre compte aussitôt qu'elle ne faisait qu'aggraver la situation.

Les yeux gris semblaient s'amuser de sa gêne.

— Hum. Je vais vous ramener à Buena Vista. Nous partirons cet après-midi pour Vancouver.

Gina le fixa, muette de stupeur. Elle avait complètement oublié ce voyage !

— Nous volerons à bord d'un jet du groupe Harlow, ainsi il n'y aura pas d'horaires stricts. Vous aurez besoin de vêtements pour deux ou trois jours. N'oubliez pas un maillot de bain, notre hôtel de Vancouver a trois piscines.

— Je ne vois pas vraiment l'intérêt de vous accompagner.

— Il vous faut de l'expérience, si vous comptez siéger au conseil d'administration après le divorce.

— Si vous voulez me rappeler par là que ce mariage sera temporaire, je vous remercie, ce n'est pas nécessaire ! s'emportat-elle. Je n'essaierai pas de nier l'attirance physique entre nous, mais sachez que pour moi aussi, ça s'arrête là !

— Alors, aucun de nous n'a de souci à se faire. Mangez votre toast avant qu'il ne soit complètement refroidi.

Gina s'abstint de répliquer. A quoi bon ? L'auvent du balcon modérait l'ardeur du soleil, mais la chaleur grimpait rapidement. Les montagnes verdoyantes au loin semblaient fraîches et terriblement tentantes.

— Vous irez là-haut une autre fois, dit Ross en suivant la direction de son regard. Je vais m'habiller. Je vous rejoins dans dix minutes.

Sur quoi, il se leva sans daigner resserrer la ceinture de son peignoir dont les pans s'ouvrirent sur un bas de pyjama noir.

Gina resta à sa place. La vision de son torse cuivré mettait une fois de plus ses nerfs à rude épreuve, et il lui fallut un moment pour calmer son pouls affolé.

Sans enthousiasme, elle se leva. La porte de ce qu'elle pensait être la chambre de Ross était entrouverte quand elle atteignit le vestibule. Apparemment, il était au téléphone et parlait d'une voix réconfortante.

— Naturellement, j'aurais préféré. C'était inévitable étant donné les circonstances. Je serai absent quelques jours, mais je t'appellerai à mon retour.

Gina poursuivit son chemin, se sentant encore plus accablée. C'était à Dione Richards qu'il parlait, elle en était sûre ! Il était facile de compléter leur conversation : « Naturellement, j'aurais préféré *être avec toi* ».

Quand elle sortit de la chambre dans sa robe longue, Ross l'attendait, vêtu d'un jean et d'un T-shirt.

— Y a-t-il un escalier de service ? demanda-t-elle. Si je dois traverser la réception dans cette tenue, tout le monde saura que j'ai passé la nuit ici.

— Le personnel le saura de toute façon. Les nouvelles vont vite ici, répondit Ross d'un ton détaché, en posant une main sur son épaule. Gardez la tête haute et regardez les curieux au fond des yeux.

Gina soupira. Ross lui faisait toujours un peu trop d'effet, malgré le fiasco de la veille. Le simple frôlement de son bras lui causait comme une décharge électrique.

Elle aurait voulu ne jamais avoir partagé une nuit avec cet homme. Au moins n'aurait-elle pas ces regrets douloureux.

6.

Il était près de 10 heures quand ils arrivèrent à la villa. Ross déposa la jeune femme et repartit aussitôt pour régler quelques affaires avant leur départ. Gina n'attendit pas qu'il eût redémarré pour se précipiter dans la maison. Heureusement, il n'y avait personne dans les parages et elle courut jusqu'à sa chambre, dont elle referma la porte avec soulagement.

Se débarrassant enfin de sa robe, elle enfila un jean et un T-shirt, avant de penser sérieusement à ce voyage d'affaires. Deux ou trois jours, avait dit Ross. Plutôt long, pour une visite d'inspection.

S'emparant de la valise qu'elle avait apportée deux semaines auparavant, elle choisit des vêtements au hasard dans la garde-robe bien garnie à présent, et décida de porter un tailleur-pantalon fluide afin de voyager confortablement.

Il n'était encore que 11 heures et elle descendit se mettre en quête d'Elinor. Cette dernière était allongée sous un parasol au bord de la piscine.

— Bonjour, l'accueillit-elle en souriant. Il y a longtemps que vous êtes de retour ?

— A peu près une heure, répondit Gina avec une certaine réserve.

Elinor se mit à rire.

— Rassurez-vous, je ne vais pas vous questionner. Ross et vous êtes faits l'un pour l'autre. Je l'ai su dès l'instant où je vous ai vus

79

ensemble. Et même si ce n'est pas la manière idéale de démarrer un mariage, vous êtes partis pour un bon début.

Submergée par la culpabilité, Gina rectifia :

— Je n'en suis pas si sûre. J'avais bu trop de champagne et je me suis rendue malade. J'ai passé la nuit dans la chambre d'amis.

— Le pauvre ! s'exclama Elinor, avec une lueur malicieuse au fond des yeux. Il a dû ronger son frein. Mais ne vous tracassez pas pour si peu. La faim accroît l'appétit. Avez-vous terminé vos bagages ?

Gina lui jeta un regard stupéfait.

— Vous étiez au courant du voyage de cet après-midi ?

— Seulement depuis hier soir. Ross a prévu de passer le week-end sur l'île de Vancouver : vous pourrez ainsi passer deux jours en tête à tête. A votre retour, nous nous occuperons des préparatifs du mariage.

— Très bien. Je vous fais entièrement confiance pour ce qui est de l'organisation, acquiesça-t-elle.

Car elle ne voulait surtout pas penser à cela en ce moment.

Le jet privé à huit places était élégant et extrêmement confortable, avec une cabine toute en cuir et noyer. Mis à part un changement de cap pour éviter une tempête qui se formait sur la Sierra Nevada, ils volèrent sans encombre jusqu'à Vancouver, où ils atterrirent à 18 h 30.

Une voiture de location les attendait sur le parking et ils rejoignirent directement l'hôtel. L'édifice était imposant et le salon de la réception était à lui seul une merveille, tout en miroirs et tapis somptueux, constata Gina. A l'inverse des autres chaînes hôtelières, chaque établissement était conçu différemment, afin de répondre aux besoins d'une clientèle ciblée. Une individualité qui avait fait la réputation du groupe Harlow.

Ils furent accueillis avec déférence par le directeur qui leur attribua deux suites contiguës, reliées par une porte de communication. Puis Ross décida qu'ils dîneraient dans l'un des quatre restaurants.

Gina avait revêtu une tunique de lin très chic. Au premier regard qu'elle lui jeta quand il parut sur le seuil de sa chambre, elle fut bien forcée d'admettre qu'elle était perdue. Il était diaboliquement séduisant dans un costume gris perle.

Le restaurant qu'il avait choisi se trouvait au premier étage, et était déjà noir de monde. Leur table était nichée dans une alcôve qui offrait une certaine intimité par rapport aux tables voisines, remarqua Gina. Les nappes damassées d'une blancheur éclatante, les verres en cristal et l'argenterie lui firent bonne impression. De même que le bouquet de fleurs fraîches. L'éclairage intime, qui jetait un halo doré au-dessus de chaque table, était délicieusement flatteur pour le teint.

— Tout est si bien organisé, s'exclama Gina, déterminée à jouer son rôle. Si on m'avait dit il y a encore un mois que je mènerais ce train de vie-là, je ne l'aurais pas cru !

Ross l'observa d'un œil tolérant.

— Vous vous y habituerez. Dans quelques mois, vous trouverez tout cela normal.

— Comme vous ? demanda-t-elle en évitant de penser à l'avenir.

— Ça fait partie de ma vie depuis vingt ans. Mes quatorze premières années n'ont pas vraiment été difficiles non plus. Mon père était banquier. Un peu coureur de jupons aussi, malheureusement. Maintenant si vous dites tel père, tel fils, je vous flanque une fessée, menaça-t-il en riant.

— Un spectacle de cabaret dans ce cadre ? Vous n'y pensez pas !

— Vous n'êtes jamais à court de reparties, vous !

81

— Seulement quand j'ai bu, répondit-elle en ébauchant une grimace. Je me sentais affreuse ce matin.

— Loin de là. Peu de femmes peuvent se permettre de rester sans maquillage en pleine lumière... surtout après avoir passé la moitié de la nuit malade dans une salle de bains.

— La moitié de la nuit, vous exagérez ! s'exclama-t-elle, en essayant de ne pas trop s'emballer sous le compliment.

— Oubliez ça, lui conseilla-t-il. Pour ma part, c'est ce que je vais faire.

L'arrivée du sommelier accapara bientôt leur attention. Peu disposée à prendre des risques, Gina commanda un kir.

Elle l'étudia, tandis qu'il parlait à l'employé, incapable d'apaiser son tumulte intérieur. Sa bouche était si sensuelle... Elle pouvait la sentir sur la sienne, mordillant, taquinant, sa langue cherchant à entrouvrir délicatement ses lèvres, l'incitant à répondre à ses baisers ardents, incomparables... Elle désirait douloureusement se retrouver nue entre ses bras.

Elle revint sur terre et s'aperçut qu'il la regardait curieusement. Le serveur était parti.

— Ça fait deux fois que je vous demande si vous avez déjà choisi, déclara-t-il.

Gina s'empourpra.

— Désolée, j'étais ailleurs. Je prendrai le melon au porto et la darne de saumon, dit-elle rapidement.

Elle s'efforça de ne plus rêvasser de tout le repas, orientant la conversation sur le groupe Harlow. Ross répondit à toutes ses questions.

— Avez-vous appelé vos parents ? demanda-t-il quand on leur apporta le café.

— Je n'en ai pas eu le temps.

— Vous avez eu quelques heures devant vous, après que je vous ai déposée à la villa. Vous ne croyez pas qu'il est temps de les mettre au courant ?

Gina ébaucha un petit geste désespéré.

— Cela va être un tel choc pour eux !

— Qu'allez-vous leur dire ?

— Le strict nécessaire. Comme à votre mère. Vous rendez-vous compte qu'elle prend cet… arrangement au sérieux ?

— J'en ai l'impression, oui.

— Etes-vous disposé à lui avouer la vérité ?

— Non, pas maintenant.

Il semblait si peu concerné que Gina ne put s'empêcher de soupirer.

— Nous aurions dû nous contenter de la cérémonie civile. Maintenant, la situation nous échappe.

— Il ne nous reste plus qu'à nous montrer à la hauteur.

— Y aura-t-il beaucoup d'invités ?

— Ma mère se chargeant de la liste, comptez au moins sur deux cents personnes.

— Des gens du cinéma aussi ?

— Forcément. Mais Karin Trent ne viendra pas, si c'est ce qui vous tracasse, ajouta-t-il d'un ton sarcastique.

Ce n'était pas à elle que Gina pensait, mais elle ne releva pas. S'il était vrai que Dione Richards avait des vues sur Ross, il était peu probable qu'elle assisterait à la cérémonie. Bien qu'il ne fût qu'un peu plus de 22 heures, elle se sentit lasse tout à coup.

— Je crois qu'il est temps que j'aille me coucher, annonça-t-elle. J'ai plutôt mal dormi la nuit dernière.

— Bien sûr, répondit-il en se levant aussi. Une bonne nuit nous fera du bien.

Gina sentit son cœur s'emballer, mais les yeux gris de son compagnon étaient exempts de passion. Quel qu'ait été le désir qu'elle lui avait inspiré, il était clair que l'étincelle s'était envolée.

*
* *

Le lendemain matin, Gina prit son petit déjeuner dans sa suite, et apprécia l'efficacité du service d'étage. Mais pouvait-on en attendre moins d'un hôtel de cette classe ?

Sans doute Ross avait-il prévu la visite d'inspection pour ce jour-là, se dit-elle. Elle l'accompagnerait et ferait de son mieux pour être à la hauteur du rôle qu'on lui avait attribué : celui d'un actionnaire majoritaire.

Elle terminait son café quand Ross arriva, portant le même costume que la veille mais avec une chemise et une cravate différentes, et prêt à parler affaire.

— Le directeur, James Conroy, tient à nous servir de guide pour la visite, annonça-t-il. Je l'aurais aussi bien faite sans lui, mais il risque de mal le prendre.

— Excellent, répondit-elle avant de changer de sujet. J'ai remarqué des boutiques sur la mezzanine au rez-de-chaussée. Cela doit valoir le coup d'œil.

— Vous pourrez faire les boutiques plus tard. J'aurai moi-même à m'absenter dans l'après-midi. Cela vous laissera tout le temps de flâner.

— Un rendez-vous d'affaires ? demanda-t-elle malgré elle.

Elle vit une lueur de dérision traverser son regard gris.

— On peut dire ça. Je serai de retour pour le dîner.

Nul doute qu'il allait rencontrer une femme. A l'instar des marins, il en avait probablement une dans chaque port !

La visite la détourna de ses soucis personnels pendant un moment. Pour la première fois, elle commençait à comprendre ce que la gestion d'un grand hôtel représentait. Ross ne trouva aucun défaut majeur dans tous les services qu'ils visitèrent, à la grande satisfaction de James Conroy.

Ils déjeunèrent dans le logement privé de ce dernier, en compagnie du sous-directeur, Neil Baxter. Grand, blond, la trentaine, celui-ci paraissait jeune pour occuper un tel poste, songea Gina. En dépit d'un côté un peu sérieux, il avait l'air plutôt sympathique.

Ross quitta l'hôtel à 15 heures, sans dire où il allait. Après tout, n'étaient-ils pas libres d'aller chacun de leur côté ?

Elle eut beau essayer de relativiser, son imagination prit le dessus : Ross au lit avec une femme, leurs corps nus enlacés, leurs vêtements éparpillés sur le sol… Seigneur ! Cette jalousie devenait atroce !

Avec ses boutiques de luxe, la galerie marchande lui procura un peu de distraction. Les prix lui parurent exorbitants, mais avec toutes les vendeuses s'empressant autour d'elle, il eût été grossier de ne rien acheter.

Elle opta finalement pour une jupe et une tunique fuchsia, demandant à ce que les articles soient livrés dans sa suite.

Neil Baxter passait au moment où elle sortait du magasin.

— On sert du thé anglais dans le salon « Impératrice », déclara-t-il, voyant qu'elle était seule. J'y vais souvent moi-même. Voulez-vous vous joindre à moi ?

Contente de trouver un peu de compagnie, Gina accepta l'invitation.

Il y avait du monde dans le salon richement décoré. Le thé était servi dans de la fine porcelaine sur des plateaux d'argent, accompagné d'une variété de petits sandwichs et de gâteaux appétissants.

— Nous accueillons ici des étrangers de toutes nationalités, précisa Neil. Ils viennent pour l'ambiance civilisée.

Gina fit le service et il eut un sourire appréciateur en buvant la première gorgée.

— Excellent !

— Exactement comme chez moi, approuva-t-elle.

Un silence s'écoula. Puis Neil reprit la parole d'un ton hésitant.

— Est-ce vrai ce qu'on raconte, que M. Harlow et vous êtes seulement des associés ?

Elle devait lui dire que cela ne le regardait pas, mais d'autre part, elle en avait assez de jouer la comédie.

— Tout à fait. Il s'agit d'un mariage de convenance.

Elle regretta cet aveu dès que les mots eurent franchi ses lèvres. Mais il était trop tard pour se rétracter. En quoi était-ce si grave après tout ? Tout finirait bien par se savoir.

— Alors, je peux vous inviter à dîner sans marcher sur les plates-bandes d'autrui ?

Consciente que la démarche du sous-directeur était purement intéressée, elle fut d'abord tentée de refuser. D'autre part, pourquoi ne pas saisir cette occasion pour montrer à Ross qu'elle était sollicitée ? Elle n'allait pas errer ici jusqu'à ce qu'il daigne réapparaître !

— Bonne idée, répondit-elle. Mais pas ici.

— Naturellement. Je connais l'endroit qu'il vous faut. A quelle heure souhaitez-vous dîner ?

— 19 heures. Est-ce trop tôt ?

— Ça me convient tout à fait. Je commanderai le taxi pour 18 h 50. Le trajet est court.

Elle avait accepté pour les mauvaises raisons, regretta Gina, mais elle ne pouvait plus reculer. De toute façon, elle doutait que Neil eût autre chose en tête que son intérêt financier.

Aucun son ne lui parvenait de la chambre contiguë quand elle remonta dans sa suite. Elle songea à glisser un message sous la porte, puis se ravisa. Elle ne lui devait aucune explication. Il ne rentrerait probablement pas de la nuit.

Ici dans le Nord, l'air était nettement plus frais qu'à Los Angeles. Elle enfila son ensemble flambant neuf qui venait d'être livré, des escarpins et une veste. Elle avait déjà acquis une certaine dose de sophistication, reconnut-elle en étudiant dans le miroir ses cheveux brillants et son maquillage impeccable.

Neil l'attendait dans le hall. Il la regarda d'un air ouvertement appréciateur, tandis qu'elle venait à sa rencontre, sans paraître se soucier des regards que leur lançait le personnel.

Ainsi qu'il l'avait dit, le restaurant qu'il avait choisi se trouvait à peu de distance de là. Le décor était intime et huppé. Sans enthousiasme, Gina se laissa convaincre de commander le chateaubriand.

Pour éviter qu'il ne lui pose des questions trop personnelles, Gina engagea son compagnon à parler de lui, ce dont il ne se priva pas.

— Encore deux ans et je serai prêt à assumer la fonction de James quand il partira en retraite, conclut-il après lui avoir détaillé son curriculum vitæ. Surtout n'allez pas croire que je vous ai invitée dans l'espoir d'obtenir un avancement.

— Cela ne m'a pas effleurée, mentit Gina. Je suis sûre que vous ferez un excellent dirigeant d'hôtel.

Ils en étaient au café quand Neil reçut un coup de téléphone. Quand il rangea son portable dans sa poche, il ébaucha une moue ennuyée.

— Je crains qu'on ait besoin de moi, annonça-t-il. Un problème avec l'un des fours à convection.

— Le devoir passe avant tout, commenta Gina, en dissimulant son soulagement de voir cette soirée prendre fin.

Il était seulement un peu plus de 21 heures quand ils regagnèrent l'hôtel, et Neil la quitta immédiatement pour s'enquérir de l'incident technique. Gina monta jusqu'à sa suite. Si Ross était rentré, il devait en ce moment même dîner dans l'un des restaurants. Sinon, c'était parce qu'il avait décidé de passer la nuit ailleurs. A partir de maintenant, elle se moquait complètement de ce qu'il faisait, se dit-elle sans conviction.

La femme de chambre avait laissé les lumières allumées, constata-t-elle en entrant. Puis elle s'arrêta net en découvrant Ross affalé dans un fauteuil.

— La brebis égarée est de retour, observa-t-il.

Recouvrant avec peine ses esprits, Gina balbutia :

— Comment êtes-vous entré ici ?

— J'ai fait ouvrir la porte de communication, répondit-il en la toisant avec une expression qu'elle jugea dérangeante. J'avais dit que je serais là pour le dîner.

— Ah ? J'ai dû oublier, déclara-t-elle d'un ton désinvolte. Désolée, j'ai déjà mangé. Avec Neil Baxter.

— C'est ce qu'on m'a dit. Vous êtes consciente qu'il visait un avancement, je suppose ?

Les yeux de Gina étincelèrent.

— Il n'a besoin d'aucun appui de ma part. Il est assuré de prendre le poste de James Conroy quand celui-ci décidera de prendre sa retraite.

— Ce n'est absolument pas réglé d'avance, et il doit le savoir. Voilà pourquoi il vous a approchée.

C'était aussi ce qu'elle avait pensé, mais elle n'allait pas l'admettre devant lui.

— Si vous avez fini de me faire un sermon, j'aimerais que vous me laissiez seule. Vous n'avez pas le droit d'être dans ma chambre !

— Je partirai quand je l'aurai décidé. Il reste un ou deux points dont nous devons discuter. Quand j'ai dit que nous mènerions nos vies chacun de notre côté, j'entendais par là avec discrétion. Se pavaner avec un membre du personnel ne peut pas être qualifié de discret ! Tout l'hôtel jasait quand je suis rentré.

— Et alors ? Tout le monde sait que ce mariage n'est qu'un moyen d'arriver à nos fins.

— Je me fiche de ce qu'on sait !

Ross s'était dressé, une lueur dangereuse au fond des yeux.

— Pas tant que ça, apparemment. Votre ego démesuré en souffre ? railla Gina. C'est si important pour un homme, n'est-ce pas ? Seulement moi, je n'ai pas passé l'après-midi à…

Ross haussa un sourcil sarcastique, comme elle s'interrompait en se mordant la lèvre.

— Je vous écoute. A quoi suis-je supposé avoir occupé mon après-midi ?

— Vous étiez avec une femme, j'en mettrais ma main au feu, répondit-elle, peu désireuse de revenir sur ses paroles. La nuit du gala vous aura frustré, je suppose. Ainsi que celle d'hier.

La colère de Ross fit place à l'amusement.

— Moi qui pensais être galant en vous donnant l'occasion de rattraper votre sommeil !

Prise au dépourvu, Gina chercha une réponse acerbe.

— Je vous en prie ! Ne jouez pas les gentlemen, répondit-elle, faute de mieux.

— Et pourquoi pas ? Je pense que vous vous laisserez persuader.

Déterminée, Gina ne bougea pas quand il s'avança vers elle lentement, presque paresseusement. Quand il glissa ses bras autour d'elle, Gina se débattit, sans conviction toutefois.

La bouche de Ross se referma sur la sienne avec passion, et elle répondit presque malgré elle à son baiser. Ses lèvres fondirent sous les siennes, et s'entrouvrirent pour le laisser explorer l'intérieur de sa bouche. Elle moula son corps contre le sien avec abandon.

Elle ne protesta pas davantage quand il la souleva dans ses bras et la porta vers la chambre. Dans la lumière dorée, Ross la déposa sur le lit, que la femme de chambre avait ouvert. Puis se débarrassant de sa chemise, il s'allongea contre elle, avant de l'embrasser avec une urgence croissante.

Gina chercha la boucle de sa ceinture et abaissa la fermeture Eclair du pantalon, tandis qu'il lui ôtait ses sous-vêtements. Ils s'unirent dans une sorte de frénésie, poussés par le même désir fou, irrésistible jusqu'à l'extase tumultueuse.

Ce fut beaucoup plus tard qu'ils trouvèrent l'énergie de bouger. Gina flottait sur un nuage exquis, l'esprit vidé de toute pensée extérieure.

— Tout est allé plus vite que prévu, murmura Ross en se redressant, un sourire aux lèvres. Tu es une femme démoniaque, Gina Saxton !

Elle était surtout la pire des idiotes ! pensa-t-elle, tandis que la réalité reprenait ses droits. Faisant un effort sur elle-même pour copier son attitude désinvolte et taquine, elle posa un doigt sur les lèvres fermes et déclara :

— Je tiens ça des Harlow !

Une étincelle rieuse anima les yeux de Ross.

— On ne peut pas dire que tu sois ennuyeuse !

— Merci. Oh ! s'exclama-t-elle en se raidissant. Tu n'as pas utilisé de protection !

— Je n'y ai même pas pensé, avoua-t-il. J'imagine que tu prends la pilule ?

— Oui, naturellement.

— Tu aimerais avoir des enfants, poursuivit-il d'un ton faussement innocent.

— Certainement, rétorqua-t-elle avant de l'embrasser, pour clore la discussion.

Un mariage et un divorce dans l'année étaient bien assez d'émotions… Et sur ce terrain, elle préférait jouer la carte de la prudence.

— Nous avons toute la nuit devant nous, et les deux prochains jours, annonça Ross. Nous nous rendrons sur l'île demain. J'ai loué une villa pour le week-end.

Ainsi, il supposait qu'elle était prête comme lui à prendre tout le plaisir que la situation leur offrait ? Gina soupira. N'avait-elle pas déjà atteint le point de non-retour ?

Tant pis, quel que fût le prix à payer, cette aventure en valait la peine, décréta-t-elle en fermant les yeux.

7.

Il pleuvait quand le ferry quitta le continent. Une pluie tiède et douce, qui s'arrêta cependant au moment où ils passèrent sous le Lion's Gate Bridge, le célèbre pont suspendu. Les montagnes s'élevaient de chaque côté du détroit, enneigées, superbes. Puis l'île de Vancouver apparut, découpée en une multitude de criques et de plages. Au-dessus et jusqu'à l'horizon se profilait la masse sombre d'une forêt de conifères.

Ils accostèrent à Nanaimo et s'engagèrent sur la route qui longeait la côte à bord d'une voiture de location. Gina embrassait d'un regard émerveillé le panorama grandiose. Ici, la nature portait à peine l'empreinte de l'homme.

— Es-tu déjà venu sur cette île ?demanda-t-elle.

— Une fois, reconnut Ross. Il y a des années.

— Seul ?

— Non, avec deux copains d'université. Nous vivions à la dure, sous la tente, et il fallait pêcher et chasser notre nourriture. Une opération-survie inoubliable. J'ai toujours voulu y revenir, sans en trouver l'occasion.

Gina jeta un coup d'œil furtif à son compagnon, dont le profil ciselé se découpait contre les frondaisons vertes. Elle essaya d'imaginer le jeune homme qu'il avait été et regretta de ne pas l'avoir connu alors. Mais elle ne devait avoir guère plus de dix ans, à l'époque dont il parlait !

La maison qu'il avait louée se trouvait au bord d'une petite anse privée qu'on atteignait par une route étroite non goudronnée. Construite comme une énorme cabane de rondins, elle donnait sur le détroit et offrait une vue magnifique sur les montagnes du continent. L'intérieur se composait de trois chambres, d'une immense salle à manger-salon et d'une cuisine équipée de tous les ustensiles modernes.

— J'ai demandé à l'agence de prévoir l'approvisionnement, déclara Ross quand Gina ouvrit le réfrigérateur qui était plein à craquer. Il y a un jacuzzi dehors. Bon endroit pour une sieste, tu ne trouves pas ?

— On ne peut rêver mieux, répondit-elle prudemment. Tu as organisé tout cela hier ?

— Oui. Entre autres choses, répondit-il malicieusement.

Il l'attira contre lui et lissa à deux mains ses cheveux, étudiant ses traits avec la même intensité passionnée que la nuit précédente. Gina sentit ses sens s'embraser.

— Tu es si belle !

— J'aurais du mal à rivaliser avec certaines, non ? répliqua-t-elle d'un ton léger, en essayant de dominer ses émotions.

— Tu parles des beautés qui s'affichent à Los Angeles ? Tu les surpasses, parce que tu n'as pas besoin de maquillage pour être splendide.

Son baiser fut à la hauteur de ce compliment. Gina mit tout son cœur à y répondre et ils firent l'amour sur une peau d'ours devant la cheminée — un décor artificiel mais suffisamment réaliste pour ajouter une note romantique. Consciente de leur isolement, Gina abandonna toutes ses inhibitions, répondant à ses exigences avec passion.

— Celui qui a dit que les Anglaises étaient froides et distantes était un imbécile, déclara Ross quand il put récupérer son souffle.

— Peut-être ne savait-il pas les séduire, tout simplement. Sur ce point, tu n'as pas de soucis à te faire.

— Pas avant l'âge de soixante-dix ans, j'espère ! répliqua-t-il en riant.

— Seulement ? le taquina-t-elle. Charlie Chaplin a eu des enfants plus tard que cela.

Elle avait réussi à oublier leur négligence de la nuit dernière jusqu'à maintenant. Mais ce rappel à l'ordre la démoralisa soudain. Que ferait-elle, si elle était enceinte ? Mieux valait ne pas s'attarder là-dessus, à moins d'y être obligée, se dit-elle résolument.

Ross n'avait pas répondu à sa boutade. Tournant la tête vers lui, elle se rendit compte qu'il dormait. Elle resta lovée contre lui, observant ses traits décidés, sentant sa main chaude et possessive sur son sein. Dire qu'un mois auparavant, elle ignorait l'existence de cet homme !

Elle était amoureuse de Ross Harlow ! s'avoua-t-elle enfin. Comme une folle, depuis la première semaine de son séjour. Cédant au désir qui la tenaillait de nouveau, elle caressa doucement le bras étendu sur elle, puis le modelé de son torse ferme et bronzé. Il ouvrit les yeux quand elle effleura sa virilité ; et le sourire lent qui joua sur ses lèvres fut à lui seul une invitation sensuelle à laquelle elle céda avec délice.

L'après-midi touchait à sa fin quand ils décidèrent à contrecœur de cesser leurs ébats. Ils prirent une douche, puis Gina composa une salade et ils cuirent des steaks sur le barbecue. Elle déboucha une bouteille de vin, en s'adjurant de n'en consommer qu'un verre, voulant rester pleinement lucide à chaque moment de ce week-end magique.

Hormis un bateau occasionnel passant dans le détroit, rares étaient les lumières qui trouaient la nuit canadienne. A croire que Vancouver se trouvait à des milliers de kilomètres. Sous la véranda, l'air était froid, mais l'eau délicieusement chaude du jacuzzi était là pour les accueillir. La tête appuyée sur des coussins, les membres relaxés par les bouillonnements du bain, Gina se sentait en paix avec le monde.

— Je pourrais rester ici toujours, murmura-t-elle rêveusement.

— Je connais ce sentiment. Quand la vie devient trop exigeante, parfois.

— C'est pourtant ce que tu veux, non ? La chaîne d'hôtels, je veux dire.

— Bien sûr. Mais il n'y a pas que ça dans l'existence. Oliver le reconnaissait lui-même, surtout ces dernières années. Il essayait de passer davantage de temps avec ma mère. Ils ont beaucoup voyagé ensemble et ont des propriétés à la Barbade et aux Bahamas. Je ne pense pas qu'elle voudra les garder, maintenant.

— Tu ne songes pas à les acquérir ? hasarda Gina.

— Peut-être la villa de la Barbade, si elle n'y voit pas d'inconvénient. Parce que j'ai aidé à en concevoir les plans. Tu aimeras la Barbade : une île très retirée, splendide. Nous pourrions y passer notre lune de miel, si tu veux.

— Oh ! Arrête ! lança-t-elle en riant.

— Pourquoi ? Tu ne rêves pas d'un séjour de deux semaines dans un paradis ?

Cette fois, Gina le fixa avec stupéfaction.

— Quoi ? Tu es sérieux ?

— Plus que je ne l'ai jamais été. Nous aurons besoin de nous détendre, après les fastes du mariage. Non que je prévoie beaucoup de repos, ajouta-t-il d'une voix sensuelle qui enflamma le cœur de Gina.

Faire l'amour dans un jacuzzi d'extérieur était une expérience incomparable… Plus tard, enveloppée dans un peignoir moelleux, les bras virils de Ross entourant ses épaules, Gina se sentait au bord d'un indicible bonheur. Si seulement il en allait de même dans ce mariage !

— As-tu eu des nouvelles de Roxanne ? lui demanda-t-elle, tandis qu'il savourait un verre de vin.

— Non, elle semble s'être volatilisée.

Il haussa les épaules.

— Qu'a-t-elle fait pour te rendre si hostile envers elle ? s'enquit Gina d'un ton hésitant. Une histoire d'argent ?

Ross la dévisagea, le regard aigu soudain.

— Elle est venue t'en demander, c'est ça ?

— Oui, avoua-t-elle finalement. A cause d'un emprunt qu'elle devait rembourser.

— Tu ne lui en as pas donné, j'espère ?

— C'était juste après la lecture du testament. Je n'avais pas d'argent en ma possession. De toute façon…

— Combien ?

— Trois cent mille.

Ross jura entre ses dents.

— J'aurais dû m'en douter !

Gina aurait volontiers laissé là le sujet, mais Roxanne étant sur le point de devenir sa belle-sœur, il fallait qu'elle en eût le cœur net.

— Te douter de quoi au juste ?

— Qu'elle allait encore monter une de ses sales combines ! Elle a mené Gary à la faillite avant de le quitter. Elle a détruit sa vie ! J'avais essayé de l'avertir avant qu'il ne l'épouse. Mais il ne m'a pas écouté. Il la vénérait !

— Qu'est-il devenu ? risqua-t-elle.

— Il est mort, répondit-il d'une voix dure. Officiellement, il a été pris d'un malaise pendant qu'il nageait au bord d'une plage. Son corps n'a jamais été retrouvé.

Gina retint son souffle.

— Tu ne penses pas que… ?

— Qui sait ? Ce qui est sûr, c'est qu'il ne reviendra jamais. Nous étions ensemble à Yale.

— Il faisait partie de cette expérience de survie, n'est-ce pas ?

— Oui, il en était.

Ross ôta son bras de ses épaules et posa son verre sur la table.

— Tu as appelé tes parents, hier ?

Elle secoua la tête et lut l'impatience dans ses yeux.

— Qu'est-ce que tu attends ?

— Je les appelle demain matin, promit-elle.

— Je m'en assurerai, cette fois, la prévint-il d'un ton sévère. Tu ne me lâcheras pas comme ça, Gina. L'enjeu est trop important.

— Je n'ai pas l'intention de revenir sur ma parole, répliqua-t-elle, piquée. Tu penses vraiment que je refuserais... tous ces millions ?

A ces mots, l'impatience de Ross se mua en cynisme.

— Non, je ne crois pas. Allons nous coucher.

Elle faillit lui dire d'aller dormir seul, mais cela revenait à se punir elle-même. Décidément, elle devenait une autre femme, reconnut-elle avec tristesse. Et d'un genre qu'elle aurait décrié quelques semaines plus tôt.

Elle téléphona immédiatement après le petit déjeuner, le lendemain matin. Son père jouait au golf, apprit-elle, mais sa mère ne manqua pas de lui faire part de leur déception. Gina les avait laissés trop longtemps sans nouvelles.

Si Mme Saxton prit assez mal la nouvelle concernant le testament, le projet de mariage la bouleversa tout à fait.

— Comment peux-tu épouser quelqu'un que tu connais à peine ? lança-t-elle quand elle put recouvrer la parole.

— Je sais vraiment ce que je fais, maman, mentit Gina, au désespoir.

C'est le moment que choisit Ross pour prendre le combiné d'autorité. Ignorant qu'il se trouvait à proximité, Gina en resta interloquée.

— Bonjour, madame Saxton, dit-il. Je comprends ce que vous devez ressentir, mais je peux vous assurer que je prendrai soin de Gina. Vous avez été des parents merveilleux pour elle. J'ai hâte de vous rencontrer, ainsi que votre mari. Ma mère sera ravie aussi. Elle vous parlera elle-même bientôt au sujet des préparatifs.

Il écouta pendant quelques instants, arborant une expression indéchiffrable.

— Je crains que cela ne soit pas pratique, voyez-vous.

Il passa l'appareil à Gina.

— Elle veut te parler, souffla-t-il.

— Je disais que si tu tiens à te marier, au moins que cela se passe ici, fit entendre sa mère. Que veut-il dire par « pas pratique » ?

Gina chercha une explication conciliante.

— Simplement qu'il y aura trop d'invités qui ne pourront pas faire le voyage. Ce serait plus facile si vous veniez. Car vous viendrez, n'est-ce pas ? demanda-t-elle anxieusement.

— Comme si nous pouvions songer à refuser, répondit Jane Saxton d'un ton résigné. Ça va être un tel choc pour ton père !

— Je sais. Je vous rappellerai demain.

Gina raccrocha, en se mordant les lèvres.

Ross lui enlaça la taille, l'attirant plus étroitement pour poser ses lèvres sur ses tempes. Des frissons insensés parcoururent l'échine de Gina.

— Reviens te coucher, murmura-t-il.

Ils atterrirent à Los Angeles dans l'après-midi du lundi et se rendirent directement à la villa. Elinor les accueillit avec joie.

— Les bans ont été publiés avant-hier, annonça-t-elle quand ils furent installés sur la terrasse avec des rafraîchissements. Les journalistes se battent déjà pour obtenir l'exclusivité des photos.

— Il n'y aura pas d'exclusivité, déclara Ross d'un ton catégorique. Des nouvelles de Roxanne ?

— Pas un mot, répondit sa mère. J'ai appelé à son appartement plusieurs fois, mais elle ne répond pas. Ce qui n'a rien d'inhabituel.

— Il faut que j'aille là-bas pour vérifier, décida-t-il. J'ai le numéro de ses amis à San Francisco. J'arriverai bien à la dénicher.

— Y a-t-il une raison particulière pour que tu sois si pressé de la rejoindre ? demanda Elinor.

— Elle a demandé trois cent mille dollars à Gina. Je veux savoir à qui elle doit cet argent.

— Je n'aurais jamais dû en parler, déplora Gina.

Ross secoua la tête.

— Au contraire, je suis content que tu l'aies fait. Elle n'a aucun moyen de mettre la main sur une somme pareille. Par conséquent, la dette doit toujours courir. Si elle t'a dit la vérité !

Il se leva sans avoir touché à son verre.

— Je vous laisse parler du mariage.

Sur quoi, il se dirigea vers la maison. Gina rencontra le sourire d'Elinor.

— Je dirais que le week-end s'est bien passé, commenta celle-ci.

— Oui, sauf quand j'ai dû apprendre la nouvelle à mes parents.

— Comment ont-ils réagi ? demanda la mère de Ross d'une voix hésitante.

— Pas très bien. Mais ils assisteront au mariage.

— Ils resteront ici évidemment. Demain, nous nous mettrons en quête d'une robe. Les invitations sont prêtes. Maintenant, parlons de la décoration de la salle. Je la vois très bien en lie-de-vin, beige et jonquille. Vous avez peut-être d'autres idées ?

Gina secoua la tête, heureuse d'accepter ces plans. Ce mariage avait au moins l'avantage d'occuper Elinor à un moment où elle avait grand besoin de se changer les idées. Mais pour ce qui la concernait, toute cette agitation était parfaitement inutile.

8.

Les Saxton arrivèrent par un vol direct depuis Heathrow, visiblement fatigués par le long voyage. Ils saluèrent Ross avec une certaine réserve.

— Ce n'est pas exactement ce que nous envisagions pour Gina, déclara Lesly Saxton sans détour, mais elle est capable de prendre ses décisions elle-même. Tout ce que nous vous demandons, c'est que vous preniez soin d'elle. Elle nous est très précieuse, vous savez.

— A moi aussi, assura Ross.

Ce qui était assez vrai si l'on considérait ce qu'il risquait de perdre à cause d'elle ! pensa Gina avec ironie.

Les parents de Gina restèrent silencieux pendant le trajet et Gina devinait trop bien leurs sentiments. Elle aussi avait été dépassée à son arrivée. Et dans une certaine mesure, elle l'était encore.

Elinor accueillit les arrivants avec chaleur et laissa à Gina le soin de les conduire jusqu'à leur chambre, les invitant à un léger souper dès qu'ils seraient installés.

— Je comprends pourquoi tu ne veux pas abandonner tout cela, observa Jane Saxton en montant. C'est un univers complètement différent. Mais pourquoi te précipiter ainsi dans le mariage ?

Gina leur avait seulement dit une partie de la vérité concernant l'héritage. Mais tôt ou tard, ils apprendraient le reste. Prenant une profonde inspiration, elle expliqua :

— Oliver a mis une condition : Ross et moi devons nous marier pour entrer l'un et l'autre en possession de sa fortune.

Sa mère s'immobilisa au milieu de l'escalier, son joli visage exprimant une multitude d'émotions.

— Tu veux dire… que tu n'as même pas de sentiments pour cet homme ?

— Je n'ai pas dit cela, dit Gina en faisant de son mieux pour paraître positive. Cela arrive seulement un peu plus vite que dans des circonstances normales.

— Mais ce n'est pas exactement un mariage d'amour ?

— Peut-être pas au sens où tu l'entends.

— Et comment veux-tu que je le prenne autrement ? Tu as changé, Gina. Il y a en toi quelque chose de plus dur.

— L'assurance, répondit-elle d'un ton léger. Tu n'as pas à t'inquiéter pour moi, maman. Je sais parfaitement ce que je fais.

— Nous t'aimons, Gina. Evidemment que nous allons nous faire du souci !

— Je pense que nous ferions mieux d'avancer, intervint Lesly avec diplomatie. Nous pourrons parler plus tard.

Gina leur montra la chambre et, en refermant la porte, se sentit horriblement honteuse de les duper.

Ross se trouvait seul sur la terrasse. Il l'étudia avec attention, tandis qu'elle le rejoignait.

— Un problème ?

— Je leur ai expliqué la condition du testament. Ils sont loin d'être enthousiastes.

— Il aurait peut-être été préférable de les laisser dans l'ignorance.

— Et laisser quelqu'un d'autre les renseigner ? Ça aurait été pire !

Sourcils froncés cette fois, il lui demanda :

— Comment te sens-tu ?

— Oh ! Comblée ! s'écria-t-elle sans chercher à dissimuler son ironie. Je vais devenir milliardaire. Que peut-on rêver de mieux ?

— Tu ne vas pas laisser tomber maintenant, répondit-il en durcissant le ton. Nous sommes allés jusque-là, nous pouvons bien continuer. Qu'est-ce qui te met dans cette humeur au juste ?

— Je m'étais convaincue que l'argent pouvait remplacer tout ce qui nous manquait, mentit-elle. J'avais tort.

— Je n'ai pas l'impression qu'il nous manque tant que ça.

— Tu veux parler de sexe ?

Elle haussa les épaules, luttant pour recouvrer son sang-froid, avant d'ajouter :

— Tu peux en trouver ailleurs, et moi aussi. Oh ! Je ne vais pas abandonner la partie, rassure-toi. Je me suis trop habituée au luxe pour y renoncer maintenant. As-tu réussi à retrouver Roxanne ?

Il accepta ce changement de sujet sans faire de commentaires.

— Elle est à Phoenix depuis plusieurs semaines apparemment, avec un homme rencontré à San Francisco.

— Sera-t-elle présente au mariage ?

— Je n'ai pas pu lui parler. L'homme avec qui elle vit m'a dit qu'elle se reposait et ne voulait pas être dérangée. Il doit lui transmettre le message. Quant à savoir ce qu'elle fera…

Il se leva comme les parents de Gina débouchaient sur la terrasse avec Elinor.

— Que diriez-vous de prendre un verre avant le dîner ? suggéra Ross d'un ton léger. Je pense que c'est un bon moyen de se détendre après un long vol.

*
* *

La soirée fut longue et la conversation empruntée, malgré les efforts d'Elinor pour maintenir l'ambiance. Jane quitta la table à 22 heures, en s'excusant.

— Je vais me coucher tôt, moi aussi, annonça Elinor quand les Saxton furent partis. Ross, ne fais pas de bruit quand tu partiras.

— J'y veillerai, promit-il. Je ne resterai pas longtemps. J'ai une journée chargée demain. Bonsoir.

Gina termina son verre et le reposa avec fracas.

— Je vais en faire autant, annonça-t-elle.

— Pas encore, déclara Ross d'une voix paisible mais déterminée. Nous avons à parler.

— J'ai déjà dit tout ce que j'avais à dire, répliqua-t-elle. Et si tu as en tête de faire l'amour, ce n'est ni le lieu ni l'heure !

L'étincelle qui jaillit dans les yeux gris fit battre le cœur de Gina.

— Si c'était le cas, nous ne serions pas assis là. Désolé si je ne suis pas aussi disponible que tu le voudrais depuis une semaine ou deux. Je suis très occupé.

Elle n'en doutait pas. Le problème était de savoir : avec qui ?

— Combien de temps devrons-nous rester mariés ? demanda-t-elle.

Une expression fugitive traversa les traits de son compagnon qu'elle n'eut pas le temps d'analyser.

— Quelques mois.

— Est-ce si facile de divorcer ici ?

— Ça l'est, du moment que les deux parties y consentent.

— Tu veux que je te signe un accord préalable ?

Ross pinça les lèvres.

— Si tu le prends ainsi, je te laisse !

Elle se leva en même temps que lui.

— Tu seras là demain ? s'enquit-elle avec effort.

— Mon témoin arrive de Las Vegas à 17 heures. Nous viendrons dîner. Sinon, je te reverrai à l'église.

Il n'essaya pas de l'embrasser, ce qui ne la surprit pas, et gagna directement la porte. Gina resta là quelques minutes, regrettant que son grand-père l'eût mêlée à tout cela. Elle avait été plutôt heureuse avant. Avant de rencontrer Ross surtout…

Le lendemain, elle fit visiter Los Angeles à ses parents qui parurent se détendre un peu, même si la ville ne leur était pas inconnue, puisqu'ils avaient habité Bakersfield au moment de son adoption.

De retour à la maison vers le milieu de l'après-midi, Gina décida de passer une heure dans la piscine pour être seule.

Dans vingt-quatre heures, elle serait en route pour l'église, se dit-elle. Si toutes les futures mariées du monde étaient censées rêver du grand jour, elles n'étaient pas toutes obligées d'affronter la pression qu'elle aurait à subir le lendemain. Et tout cela pour un mariage de pacotille dont la fin était déjà programmée ! Certes, elle pouvait se venger en refusant le divorce, mais à quoi bon ?

Elinor vint la rejoindre peu après, l'air légèrement inquiète.

— Vous avez été si calme, aujourd'hui ! Tout va bien ?

— Je suis juste un peu fatiguée, répondit Gina. J'ai mal dormi la nuit dernière.

— Vous dormirez encore moins ce soir, observa Elinor. Je n'ai pas fermé l'œil, la veille d'épouser Oliver. Je suis si heureuse qu'il vous ait retrouvée. Pas seulement pour lui, mais pour moi-même et pour Ross. Et hormis le fait qu'Oliver ne soit plus là, je ne pourrais pas être plus heureuse que je le suis actuellement.

Gina bafouilla une réponse appropriée, se sentant plus déprimée que jamais.

Le grand jour était venu !

Mais était-ce réellement un grand jour ?

La cérémonie aurait lieu à 17 heures, et Gina trouva le temps long. Elle mangea un peu à midi, plus pour contenter sa mère et Elinor qui voulaient qu'elle prenne quelque chose de solide afin de tenir jusqu'au banquet du soir.

Les petites cousines d'Elinor, des jumelles qui devaient être ses demoiselles d'honneur, arrivèrent à 13 heures avec la coiffeuse et l'esthéticienne. Puis Elinor, Jane et les deux jeunes filles quittèrent la villa dans une longue limousine blanche, Gina et son père devant voyager à bord d'une Rolls-Royce.

La regardant descendre l'escalier dans sa belle robe blanche de soie brodée, Lesly Saxton eut les larmes aux yeux.

— Tu es si belle, dit-il. Comme tu vas nous manquer !

— Vous allez me manquer aussi, répondit-elle sincèrement. Mais ce n'est pas comme si nous n'allions plus nous revoir. Je viendrai aussi souvent que je le pourrai.

Si son père remarqua qu'elle avait dit *je* au lieu de *nous*, il ne fit aucun commentaire.

La Rolls ne manqua pas d'attirer l'attention sur le trajet qui les conduisait en ville. Gina fut abasourdie en découvrant la foule de curieux massés derrière les barrières aux abords de l'église, les rangées de photographes et les équipes de télévision. Les flashes l'aveuglèrent quand elle remonta le tapis rouge et il lui fallut toute sa volonté pour garder un sourire assuré. La mariée ne devait-elle pas paraître radieuse, à défaut de l'être vraiment ?

Ce fut avec soulagement qu'elle atteignit le porche, où les demoiselles d'honneur en robes grenat patientaient. Mais le répit fut de courte durée. Les invités, qui avaient déjà pris place dans l'église, se détournèrent d'un même mouvement quand, au bras de son père, elle s'avança dans la nef aux premières notes du canon de Pachelbel.

A l'extrémité du troisième rang, des yeux saphir étincelant sous une large capeline beige, Dione Richards n'était que trop reconnaissable. Etait-ce Ross qui l'avait ajoutée à la liste des invités ? Après tout, quelle importance ? L'assemblée fourmillait sans doute de ses anciennes conquêtes.

Superbe dans un smoking bleu nuit, il l'attendait devant les marches de l'autel. Gina sentit sa gorge se serrer douloureusement quand elle rencontra son regard et elle eut quelque peine à respirer.

— Je vois que tu as relevé tes cheveux, murmura-t-il quand elle eut pris place à son côté.

— J'ai pensé que l'occasion l'exigeait, cette fois.

Après cela, le temps s'écoula très vite, ne lui laissant qu'une série d'impressions floues : la solennité de la célébration, la signature du registre, la sortie au bras de celui qui était désormais son mari, puis la foule…

— Dieu merci, c'est fini ! s'exclama Ross quand la voiture les emmena vers l'hôtel où se tenait la réception.

Il la contempla, immobile.

— Tu es magnifique !

— J'ai surtout l'impression d'être un objet qu'on expose.

Puis consciente de la vitre baissée entre eux et le chauffeur, elle s'efforça de prendre un ton léger.

— Je ne m'attendais pas à une foule pareille !

— Les grands mariages sont une attraction. Il nous reste encore à supporter le banquet, aussi ne te détends pas trop vite. Nous aurons tout le temps pour ça dans les deux semaines qui viennent, ajouta-t-il après une pause lourde de sens. Je me suis avancé dans le travail, il ne devrait pas y avoir de problèmes.

Seulement celui qui lui restait à découvrir, pensa Gina.

Il était prévu qu'ils passeraient la nuit dans sa suite, et qu'ils s'envoleraient le lendemain matin pour la Barbade. Elle avait hâte de voir son expression quand il s'apercevrait que cette lune de miel ne démarrerait jamais.

Une autre armée de photographes attendait leur arrivée à l'hôtel. Vint alors le moment des félicitations. Prenant place à côté de Ross, Gina se raidit dans l'attente de cette nouvelle épreuve.

Celle-ci fut interminable. Ses doigts étaient tout endoloris à force de rendre les poignées de main, et le sourire radieux qu'elle plaquait sur ses lèvres lui étirait douloureusement la bouche. Elle n'était pas parvenue à retenir un seul nom. Son désarroi fut à son comble quand elle aperçut la splendide brune qui affichait un sourire artificiel.

— Félicitations, ronronna Dione sans daigner tendre la main.

Puis se tournant aussitôt vers Ross avec un sourire plus intime :

— Tu as de la chance. Elle est vraiment jolie.

— N'est-ce pas ? répondit Ross. Content que tu aies pu venir, Dione.

— Comme si je pouvais manquer ça ! lança-t-elle d'un air affecté.

En la voyant s'éloigner, Gina serra les dents. Comment faire semblant d'ignorer que Ross avait couché — et couchait encore probablement — avec cette femme ?

— Courage, murmura-t-il. C'est presque la fin.

Le banquet était magnifiquement organisé, depuis la décoration des tables, jusqu'au somptueux dîner à cinq plats en passant par la musique jouée par un quartet d'excellents musiciens. Les discours du marié et de son témoin provoquèrent rires et applaudissements, puis Lesly récita un court poème qui tira les larmes aux yeux de Gina.

Le repas terminé, les mariés ouvrirent le bal.

— Encore une demi-heure et nous filerons, déclara Ross sur la piste de danse.

Il l'embrassa, souriant brièvement aux applaudissements qui saluèrent ce geste.

Gina ne répondit pas. Si son baiser l'avait prise de court et perturbait son bon sens, le contact de Ross, souple et ferme contre elle, la bouleversait davantage encore.

— J'ai remarqué que Roxanne n'a pas pris la peine de venir, dit-elle, cherchant un dérivatif au désir qu'elle ne parvenait pas à contrôler. Tu n'as eu aucune nouvelle d'elle ?

— Pas un mot.

Les ondulations de son corps contre le sien empêchaient Gina de penser clairement. De tout son être, elle mourait d'envie d'être plus proche encore et de se fondre en lui. Il allait lui falloir toute sa volonté pour lui résister.

« Alors, ne résiste pas », lui souffla une petite voix au fond de son esprit.

Un homme dont elle ne se souvenait pas tapa à cet instant sur l'épaule de Ross.

— Il est temps que tu nous laisses une chance de danser avec ton épouse, veinard !

En riant, Ross l'abandonna dans les bras du nouveau venu.

— D'accord, mais n'en profite pas, mon vieux.

Consciente de tous les regards braqués sur elle, Gina plaqua sur ses lèvres le sourire de rigueur, tandis que le convive l'entraînait dans un pas de danse. D'autres couples s'avancèrent sur la piste, si bien qu'il fut bientôt presque impossible de bouger. Un autre danseur l'invita, puis encore un autre. Elle fit de son mieux pour maintenir une conversation aimable avec chacun, même si intérieurement, elle se débattait avec l'idée de tout laisser tomber et de s'enfuir.

La vue de Dione dans les bras de Ross stoppa net ses interrogations. Ils avaient l'air de ce qu'ils étaient : deux personnes intimement liées. La fureur qui envahit Gina à cet instant domina tout le reste. Il aurait pu avoir le tact d'éviter cette femme, ce jour-là — ne serait-ce que pour sauver les apparences !

Quand, une demi-heure plus tard, il vint la chercher à la table des Thornton, Gina fit semblant de s'amuser follement. Trop pour désirer partir.

— Prends une autre coupe de champagne ! l'invita-t-elle. Il n'est pas si tard.

Ross lui jeta un regard perplexe.

— Combien en as-tu bu ?

Pour ne pas compromettre son plan d'attaque, elle s'était contentée du strict minimum, ce qu'elle n'avait nullement envie d'admettre.

— Je n'ai pas compté, dit-elle ingénument. Qu'est-ce que ça peut faire ? Je ne conduis pas.

— Nous avons un long vol demain matin. Tu vas être fatiguée.

L'un des hommes assis à table murmura quelque chose à son voisin qui sourit. Ross les ignora.

— Il est presque minuit, Gina.

— Ah ! L'heure fatidique ! Ça se fête. Un dernier verre ? Une danse, alors ? suggéra-t-elle comme il secouait la tête. Ecoute, c'est notre chanson préférée !

Un éclair passa au fond de ses prunelles grises, bien que son expression restât aimable.

— Je l'ai reconnue. Viens ! l'invita-t-il en lui tendant la main.

Les musiciens jouaient un air qu'elle ne connaissait même pas. Ross l'attira contre lui, ses mains lui enserrant fermement la taille. Gina sentait son haleine fraîche sur sa joue.

— Tu tiens à continuer cette comédie ? murmura-t-il.

— Tu ne voudrais pas donner à la presse une mauvaise impression, n'est-ce pas ? Souris, chéri, nous sommes filmés !

— Les photographes n'ont pas été admis ici. Arrête ce petit jeu ! souffla-t-il, les mâchoires crispées.

— Très bien, répondit Gina plus sérieusement. A quoi bon faire semblant en effet ? Ce mariage n'est qu'un moyen de mettre la main sur la fortune de mon grand-père. Je vivrai avec toi, parce que je ne veux pas qu'on discrédite notre nom, mais je ne coucherai plus avec toi !

Les mains posées sur son dos se resserrèrent davantage.

— C'est une résolution ferme et définitive ?

— A ta place, je ne la mettrais pas en doute. Ce soir, j'occuperai la chambre d'amis.

Il s'écarta légèrement pour étudier son visage vibrant sous le magnifique diadème.

— N'y pense même pas, déclara-t-il, les lèvres dangereusement pincées.

— Oh ! Ça m'étonnerait que tu aies recours à la force !

— Je n'en ai pas l'intention. Mais tu n'es pas de glace, Gina. Tu l'as déjà prouvé.

— Eh bien ! J'ai changé, répondit-elle en luttant contre le nœud qui comprimait sa gorge et sa poitrine. Tu n'as pas besoin de moi pour prouver ta virilité. Tu as ce soir à tes pieds tout un parterre de jolies femmes disposées à te plaire. Dione Richards, par exemple. Vous aviez l'air adorable, tous les deux ! s'exclama-t-elle avec amertume.

Une lueur de dérision passa dans le regard de Ross.

— *Adorable* ? Ce n'est pas un mot que j'appliquerais à Dione. Qu'est-ce qu'elle vient faire là-dedans de toute façon ? Viens, il y a des choses que nous devons tirer au clair.

Oui, mieux valait en finir tout de suite, reconnut Gina. Elle prit une profonde inspiration quand il l'entraîna hors de la piste. Elle s'était étonnée elle-même durant cette discussion, mais il était temps que Ross s'aperçoive qu'elle avait une volonté égale à la sienne.

Ce fut en prenant congé de ses parents qu'elle se dit soudain qu'elle ne les reverrait pas. Ils rentreraient en Angleterre le lendemain.

— Je vous appellerai de la Barbade, promit-elle, tout en se demandant ce qu'elle leur dirait.

Elle pourrait toujours leur décrire les paysages, parler du temps. Ils n'attendraient pas de détails plus intimes.

Il était près de 2 heures quand ils arrivèrent à l'hôtel Beverly Hills-Harlow. Ross n'avait rien dit durant le trajet, et il était toujours silencieux lorsqu'ils montèrent dans la suite. Comme elle attendait qu'il ouvre la porte, Gina fut totalement prise au dépourvu quand, d'un geste brusque, il l'emporta dans ses bras pour franchir le seuil.

— Voilà une tradition respectée, dit-il avec ironie. Il en reste une !

Elle se débattit, tandis qu'il la portait vers la chambre principale, mais ses protestations ne semblèrent pas l'impressionner. Il la déposa sur le lit et la retint d'une main sur l'épaule. Gina lui saisit le poignet quand il entreprit de déboutonner son bustier.

— Comment oses-tu ? déclara-t-elle d'une voix menaçante. J'ai dit non !

Ross eut un rire bref.

— C'est ce que nous verrons.

Elle tourna la tête quand il s'abaissa vers elle, mais elle ne put éviter ses lèvres. Si son baiser avait été dur, elle se serait

111

cramponnée à la fureur qui la menait, mais la bouche de Ross était presque tendre, caressante, jouant avec la plénitude douce de ses lèvres, et sa langue était comme une onde soyeuse.

Gina ne put réprimer le désir brûlant qui l'envahissait. Ses lèvres s'entrouvrirent d'elles-mêmes, et son corps relâcha la tension qu'elle s'imposait pour s'abandonner à une autre émotion. Levant les mains vers le beau visage hâlé de Ross, elle plongea les doigts dans l'épaisseur de ses cheveux. Les querelles passées s'évanouirent, laissant place au vertige des sens qui la consumait.

Les petits boutons nacrés du bustier sautèrent un à un avec un son mat, et Ross glissa une main sur sa poitrine. Gina se moquait d'abîmer la somptueuse robe à présent ; elle ne songeait qu'à combler la frustration dont elle avait souffert. Ross trouva dans son dos la fermeture Eclair et fit glisser le satin jusqu'à ses hanches, puis sur le sol en un bruissement doux.

Elle ne portait plus que ses bas, son porte-jarretelles, son slip et son soutien-gorge en dentelle blanche. Ross la dénuda, lui laissant ses bas. Puis il posa ses lèvres avides sur les extrémités tendues de ses seins, les taquinant tour à tour de la langue. Sous la sensation exquise, Gina ne put réprimer un long gémissement.

Lentement, il continua à tourmenter sa chair frémissante sous une pluie de petits baisers. Il butinait sa taille et ses hanches, s'attardant sur la zone palpitante au-dessus des frisons blonds qui couvraient sa féminité, avant de descendre vers le cœur même de son être. Les lèvres ouvertes sur un cri silencieux, Gina s'arqua, éperdue. Le monde extérieur s'était éteint. Ne comptait que le brasier qui montait en elle et la secouait de frissons de plus en plus violents.

Elle laissa échapper une faible protestation quand Ross s'écarta d'elle pour se débarrasser de ses propres vêtements. Puis, abandonnée à son étreinte, Gina l'accueillit en elle et

112

se sentit comblée. Elle se laissa porter par le rythme sauvage et régulier de ses assauts, pour connaître le plus puissant des plaisirs avec lui.

Il fallut un moment à Ross pour recouvrer son souffle et rouler sur le côté. Gina resta immobile. Il avait eu gain de cause ! Elle était décidément incapable de se refuser à lui. Qu'allaient-ils faire, maintenant ?

Visiblement, Ross était également conscient de la nécessité d'éclaircir la situation. Une petite ride était apparue entre ses sourcils, et il plongea son regard dans le sien.

— Nous devons parler, annonça-t-il avant qu'elle ait eu le temps de prononcer un mot. Intelligemment, sans chercher à prendre l'avantage sur l'autre. D'accord ?

— D'accord, convint-elle à voix basse.

Elle s'était ressaisie et avait enfilé un négligé.

— Bien. Nous connaissions tous deux les règles du jeu quand nous avons consenti à ce mariage. L'attirance a été un plus. Cela peut l'être encore, si tu veux bien cesser de me prendre pour un ignoble machiste assoiffé d'argent.

— Si je comprends bien, je dois t'accepter tel que tu es ou partir ? répliqua-t-elle.

— Ça y est ! Tu recommences ! lança-t-il, exaspéré. Nous nous entendons sur le plan physique. Nous venons encore de le prouver.

— Parce que je suis trop faible, fit-elle remarquer avec amertume.

Un sourire lent apparut sur les lèvres de Ross.

— Tu penses toujours que je t'aurais forcée si tu ne m'avais pas cédé ?

Elle secoua la tête.

— Tu ne t'abaisserais pas de cette façon.

— Content de te l'entendre dire. Donc, que dis-tu de ma proposition ?

— Tu as raison, capitula Gina en étouffant ses émotions les plus profondes. Nous pouvons tirer parti de la situation.

Il se mit à rire en voyant la petite étincelle briller dans les yeux de la jeune femme. Un silence s'ensuivit et, comme toujours, ce fut Ross qui le rompit le premier.

— Que dirais-tu de célébrer ce pacte comme il se doit ?

— N'est-ce pas ce que nous venons de faire ?

— Appelle ça un prélude. Le meilleur est à venir…

Gina se sentit fondre à cette promesse. Et la flamme audacieuse qui brilla dans les yeux de Ross quand elle laissa tomber son négligé à terre la récompensa. Il la désirait toujours.

9.

La Barbade était une île de rêve, et la villa un véritable bijou. Gina aima aussitôt son intérieur décloisonné et le décor typique des Caraïbes.

Ils passèrent les deux premiers jours sur la plage privée, nageant ou se dorant au soleil. Le soir, ils faisaient l'amour sous le ciel étoilé. Ils firent le tour de l'île en jeep, saluant les autochtones qui travaillaient dans les champs de canne à sucre. Gina aimait entendre leur dialecte chantant.

Le premier nuage se glissa dans leur bonheur quand ils déjeunèrent un jour dans l'un des hôtels les plus huppés de l'île. Gina avait remarqué la façon dont une femme, assise seule à une table au fond du restaurant, les regardait avec insistance. Mais en revenant des toilettes, elle ne s'attendait pas à trouver la belle inconnue rousse assise à leur table.

— Salut ! lança la femme qui riait encore d'une remarque de Ross. Je m'appelle Samantha Barton. Ross m'apprend que vous êtes en voyage de noces !

— Sam vit sur l'île, expliqua Ross. Elle a un atelier de décoration dans Broad Street.

— Je suis venue m'installer ici il y a deux ans, pour échapper à la vie folle de Los Angeles, ajouta l'intéressée. Que pensez-vous de la Barbade ?

— C'est splendide, reconnut Gina aimablement. J'aimerais pouvoir y vivre, moi aussi.

— Surtout dans la villa Harlow ! Je l'ai utilisée pendant quelques semaines jusqu'à ce que je trouve un logement.

— Vous êtes une amie de la famille, alors ? risqua Gina.

— Plutôt une relation. J'ai fait quelques travaux de décoration à Buena Vista et Ross m'a permis de séjourner dans la villa.

Elle reporta son attention sur lui, avec un sourire un peu trop intime au goût de Gina. A en juger par le physique époustouflant de cette femme et ses manières familières, il y avait fort à parier que Ross et elle avaient eu une liaison autrefois. Mais la vie passée de Ross ne la regardait pas.

Samantha avait une maison sur la côte ouest, près de Speightstown, leur apprit-elle.

— J'organise une petite fête ce soir, déclara-t-elle au moment où elle s'apprêtait enfin à partir. J'aimerais tant que vous veniez !

— Nous y serons, promit Ross avant que Gina ait pu trouver un motif valable de refuser.

— Formidable ! A partir de 20 heures, répondit Samantha en lançant à Gina un regard où brillait une lueur de triomphe.

— Tu n'as pas l'air trop enthousiaste, observa Ross dans le silence qui suivit son départ.

— Ça ne me dit rien, de rencontrer une foule de gens que nous ne reverrons sans doute jamais.

— Nous venons de passer une semaine ensemble, répondit-il. Je pensais qu'avoir de la compagnie te ferait plaisir.

— Ça te manque ?

— J'avoue que j'en ai envie. Pour quelques heures, du moins.

— Je comprends, commenta-t-elle seulement.

Ils n'abordèrent plus le sujet du reste de l'après-midi. Ils louèrent un bateau et passèrent trois heures agréables à longer la côte. Gina avait été sincère en disant qu'elle aimerait vivre ici. Comparée à Los Angeles, l'île était une oasis de paix et de solitude.

Ils rentrèrent assez tard à la villa. Ils avaient juste le temps de manger un morceau avant de s'habiller pour se rendre à la soirée. Samantha étant à peu près du même âge que Ross, Gina choisit de mettre en valeur sa jeunesse avec une robe sexy qui montrait un maximum de sa silhouette. Tombant à mi-cuisses et dénudant les épaules et le haut du buste, elle s'évasait juste assez pour attirer l'attention sur ses longues jambes. Ses escarpins vertigineux accentuaient encore cet effet.

Sur une impulsion, elle releva ses cheveux, laissant quelques mèches boucler sur sa nuque et autour de son visage. Avec un soupçon de fard à paupières et un trait de mascara, ses yeux verts semblaient plus éclatants dans son teint doré.

Sortant de la salle de bains, une courte serviette lui ceignant les reins, Ross émit un long sifflement.

— Tu es fantastique !

Ils partirent bientôt et longèrent la côte en voiture pour s'arrêter devant la maison de Sam, située sur l'anse romantique que formait Cobblers Cover. La villa était presque aussi grande que la résidence Harlow. Construite dans le même style et superbement meublée, elle accueillait déjà une foule impressionnante.

Repérable à sa robe en lamé, Samantha les accueillit comme des invités de marque. Il était évident que les gens rassemblés là étaient fortunés, nota Gina. Samantha Barton devait être une grande artiste, pour fréquenter ce milieu.

Quoi qu'il en soit, leur hôtesse ne perdit pas de temps pour les séparer. Laissant Gina en compagnie d'un homme distingué qui se nommait Adrian, elle entraîna Ross, sous prétexte de rencontrer un ami hôtelier qui cherchait à vendre son établissement.

— Je suis surpris que Ross accepte de laisser seule sa belle jeune femme, déclara Adrian. A sa place, je ne prendrais pas ce risque !

— Vous connaissez Samantha depuis longtemps ? demanda Gina en refusant de le prendre au sérieux.

— Depuis un peu plus d'un an. Nous vivons ensemble.

— Et cette maison est à vous ? s'enquit-elle.

— Oui. Je l'ai fait construire l'année dernière. La décoration intérieure revient à Sam. C'est une femme intelligente.

Puis après une brève pause :

— Elle m'a dit qu'elle et votre mari étaient de vieux amis. J'ai l'impression qu'il y a quelque chose de plus que cela.

Gina se raidit pour ne rien laisser voir de ses émotions.

— Cela vous ennuierait si c'était le cas ? demanda-t-elle.

Il eut un haussement d'épaules désinvolte.

— Ce qui est arrivé avant notre rencontre n'a guère d'importance. Tout ce que je demande, c'est la fidélité pendant que nous sommes ensemble. Je suppose que vous pensez comme moi ?

— Je n'y ai pas vraiment réfléchi, biaisa-t-elle. Sans doute parce que ça va de soi.

— Ne soyez pas trop confiante, l'avertit-il. Il y a beaucoup de tentations, par ici. Moi-même, je n'y suis pas insensible. Surtout en ce moment. Vous êtes une jeune femme très séduisante, Gina. Tout homme s'en apercevrait. Après cela, je sens que le moment est mal choisi pour vous inviter à visiter le parc, ajouta-t-il avec une pointe d'humour. Mais j'ai besoin d'un peu d'air frais.

Il n'y avait aucun signe de Samantha et de Ross à proximité. Gina se força à se concentrer sur son interlocuteur.

— Mais si, j'aimerais voir les jardins et profiter d'un peu de fraîcheur, assura-t-elle.

Les invités avaient déjà envahi le vaste patio, certains dansaient sur une estrade recouvrant un bassin. Trois musiciens animaient la nuit exotique. A travers les palmiers, Gina aperçut la mer argentée sous le clair de lune.

Subtilement éclairés, les jardins — les plus beaux qu'elle eût jamais vus — s'étendaient de chaque côté de la villa. Des myriades de senteurs parvinrent à la jeune femme.

— Merveilleux, déclara-t-elle. Comme j'aimerais posséder un parc comme celui-ci. Seulement, nous vivons en appartement.

— Eh bien ! Emménagez dans une maison, répondit-il comme si c'était la chose la plus simple au monde. Un appartement n'est pas fait pour élever des enfants. A supposer que vous en vouliez.

— Bien sûr, affirma Gina avec effort. Mais pas tout de suite. Je commence à peine à m'habituer au mariage.

Ils retournèrent vers le patio, juste à temps pour voir Ross et Samantha émerger d'un bosquet. Leurs visages ne révélaient rien. Ce fut Samantha qui parla la première d'un ton joyeux.

— Je montrais le nouveau bateau à Ross. Il a dit qu'il aimerait en acquérir un aussi s'il décide de conserver la villa. Où êtes-vous allés, vous deux ?

— J'ai fait visiter les jardins à Gina.

Adrian parlait d'un ton neutre, bien que Gina décelât une certaine prudence dans sa voix. Ross et Samantha étaient restés absents près d'une heure. A quoi avaient-ils occupé ce laps de temps ?

Comme Ross lui proposait ensuite d'aller danser, Gina le suivit, malgré le malaise qui la gagnait. En revanche, elle ne put s'empêcher de se raidir quand il passa ses bras autour d'elle.

— Quelque chose te tracasse ? demanda-t-il.

— Qu'est-ce qui te fait croire ça ?

— J'ai l'impression de tenir une branche de bois ! Je sais que tu n'étais pas très emballée de venir, mais tu avais l'air assez contente de bavarder avec Adrian.

— C'est un homme charmant. Séduisant aussi pour son âge. Samantha a de la chance.

— Lui aussi. Ils forment un beau couple.

— Plus beau que celui que tu formais avec elle ?

Les mots avaient franchi ses lèvres avant qu'elle ait eu le temps de réfléchir. Elle les regretta instantanément.

Ross mit un moment avant de répondre. Quand il parla, ce fut d'une voix mesurée :

— Dois-je m'attendre à ce genre de reproche chaque fois que tu rencontreras une femme que je connais ?

— Non, bien sûr que non. Nous sommes totalement libres l'un et l'autre. Envisages-tu de garder la villa ?

Une expression indéfinissable traversa ses traits.

— Peut-être. Je n'ai pas encore décidé… J'ai envie de toi !

Un désir qu'une autre avait suscité ? pensa Gina.

— Il est encore tôt, répondit-elle d'un ton léger. Et nous n'avons pas dansé ensemble… depuis une semaine !

Il eut un rire malicieux.

— Pas verticalement, du moins ! Je pense que nous allons quand même prendre congé.

Gina n'était pas fâchée de quitter cet endroit. Elle eut la satisfaction de voir Samantha contrariée quand ils annoncèrent leur départ, bien que celle-ci eût tôt fait de dissimuler sa déception derrière un sourire aimable. Elle espérait les revoir avant leur départ pour Los Angeles, dit-elle. Adrian fut cordial, mais n'essaya pas de formuler cet espoir. Visiblement, il gardait ses doutes au sujet de leur absence d'une heure.

Le retour par la route côtière dans la nuit parfumée fut agréable. Elle allait regretter tout cela, quand elle serait de nouveau à Los Angeles, reconnut Gina. Et elle doutait qu'ils eussent l'occasion de revenir sur l'île. Bien sûr, elle pourrait y retourner seule plus tard, mais à quoi bon ? Elle se rendrait ailleurs, dans des lieux moins chargés de souvenirs.

120

Elinor les accueillit avec joie, quand ils passèrent à la villa le lendemain de leur retour.

— Je crois que je vais me mettre en quête d'un logement plus petit et plus près de la ville, annonça-t-elle quand tous trois furent installés comme d'habitude sur la terrasse. Un appartement peut-être.

— J'ai une meilleure idée, annonça Ross. Pourquoi ne prendrais-tu pas la suite au Beverly Hills-Harlow ? Et nous viendrions habiter ici. Tu disposerais du service d'étage.

Cette proposition était loin de rebuter Elinor, quoiqu'elle regardât avec quelque hésitation du côté de Gina.

— Qu'en pensez-vous ?

Ce qu'elle en pensait ? Elle était perplexe. Pourquoi Ross voulait-il une maison de cette taille ?

— Cela me plairait beaucoup, répondit-elle, incapable de penser à une autre réponse.

— Alors, c'est entendu, déclara Ross. Je veux que les déménagements commencent dès lundi. J'imagine que tu voudras redécorer la suite du sol au plafond, avant de t'y installer. Tu n'as jamais beaucoup aimé le décor.

— Tu as raison. J'appellerai Maurice, mon décorateur, annonça-t-elle d'un ton enthousiaste. Vous pourrez changer les choses ici aussi, Gina.

— J'aime cette maison exactement comme elle est, répondit-elle avec sincérité, encore ébranlée de la rapidité avec laquelle l'affaire s'était conclue. Mais... êtes-vous sûre de ce que vous faites ? L'appartement est grand, mais n'a rien de comparable avec cette villa. Que faites-vous de la piscine par exemple ? Vous nagez tous les matins.

— L'hôtel en a deux. Je m'arrangerai pour y aller avant le petit déjeuner. Je vais téléphoner tout de suite à Maurice.

Le silence s'installa après le départ d'Elinor.

— Des objections ? demanda enfin Ross.

— Pourquoi en ferais-je ? répliqua Gina. J'aurais seulement apprécié que tu m'avertisses de ce projet.

— L'idée m'est venue seulement quand ma mère a parlé de déménager. Je préfère que la propriété reste dans la famille. Et ainsi, Meryl et Jack vont enfin cesser de me harceler. Je suis sûr que tu apprécieras de vivre ici plutôt qu'à l'hôtel.

Gina fut obligée d'en convenir. Aussi grande fût-elle, la suite paraissait étroite en comparaison.

— Tu crois vraiment que ta mère sera heureuse là-bas ?

— Oui, puisqu'elle avait déjà en tête de vivre dans un appartement. Elle va faire des transformations, et ça ne la dérange pas que tu en fasses autant ici.

— Je n'en vois pas l'intérêt, étant donné que je serai là quelques mois au plus, répondit-elle en s'efforçant de garder un ton neutre.

Un silence suivit cette déclaration.

— Tu comptes toujours avoir un rôle actif au sein du groupe Harlow après notre séparation ? dit-il enfin.

— J'en doute. Je rentrerai probablement en Angleterre. Ne t'inquiète pas, tu auras les cinquante et un pour cent des parts.

S'il était satisfait par cette offre, Ross n'en montra rien.

— Que feras-tu, en Angleterre ?

Gina haussa négligemment les épaules.

— Tout ce dont j'aurai envie, je suppose. Voyager par exemple. Mis à part l'Espagne, l'Italie et la Californie bien sûr, je ne suis pas allée très loin. J'ai toujours rêvé de prendre le Transsibérien. Et pourquoi pas voir la Grande Muraille de Chine, le Taj Mahal, la vallée des Rois ?

— Un vrai tour du monde, en somme, commenta-t-il. Tu voyageras seule ?

— C'est la méilleure façon. Personne d'autre que moi-même à contenter. Mais pour l'instant, ce n'est qu'un rêve.

— Qui deviendra réalité. Tout ce qu'il nous reste à faire, c'est de remplir les papiers. Tu conserveras vingt-quatre pour cent, avec le droit d'en tirer des dividendes deux fois par an.

Gina n'avait aucune envie de songer à cela. Elle avait bluffé en parlant de faire le tour du monde seule. Quel plaisir y aurait-il à visiter ces lieux sans personne avec qui partager cette expérience ?

La gouvernante apporta des boissons et de quelques toasts sur un plateau. Son attitude était un peu plus agréable qu'aux premiers jours de son arrivée, mais Gina avait encore des difficultés à s'entendre avec elle. Si elle ne voulait pas se retrouver ici sans personnel, elle devait faire un effort pour cultiver la relation, se dit-elle. A supposer que les Peterson désirent rester à son service !

Elinor revint, l'air un peu hésitant. Maurice, semblait-il, acceptait d'effectuer les travaux pourvu qu'ils commencent immédiatement.

— Je suis désolée, ma chère petite, dit-elle à Gina. Je m'emballe avec ces projets. Si vous désirez plus de temps… ?

Gina secoua la tête en souriant, résolue à ne pas s'en prendre à Ross devant sa mère.

— La décision est prise. Pourquoi attendre ?

— Vous aurez la chambre principale, évidemment. Je vais demander à Lydia de la préparer.

Quand ils quittèrent la villa vers 17 heures, tout était arrangé. Le déménagement se ferait le lendemain après leur visite chez le notaire.

— Allons, dis-moi tout, déclara Ross quand ils furent sur la route. Je vois que tu bous intérieurement !

— Il y a de quoi, non ? répondit-elle d'une voix tendue. D'abord, la maison, ensuite le déménagement ! Il se peut que notre relation soit temporaire, mais pendant que nous sommes mariés, je tiens à avoir mon mot à dire !

Les lèvres de Ross se plissèrent dangereusement.

— Je prendrai toute décision qui me semble adéquate quand je le voudrai. Comme tu le disais toi-même, tu ne seras là que quelques mois.

C'était la vérité, bien sûr, mais elle n'en était pas moins blessante. Qu'il aille au diable ! Et qu'on en finisse avec ce mariage d'opérette !

Un silence pénible s'installa. Ross finit par allumer la radio et Gina lui jeta un bref coup d'œil. Au dessin crispé de sa mâchoire, il était clair qu'il était en colère. Eh bien, elle aussi !

Cet homme se moquait d'elle. Il continuait à fréquenter d'autres femmes : Samantha, et cette satanée « Plus Belle Femme De l'Année » ! Il semblait ravi de rencontrer toutes ces mantes religieuses qui le suivaient jusqu'à Vancouver ou à la Barbade... Certes, Gina avait conscience que sa jalousie était illégitime. Mais cette relation était décidément trop éprouvante. Elle n'avait pas l'insolente légèreté de Ross, et voulait ne jamais l'acquérir, au demeurant.

Courroucée, elle rentra dans la suite en silence, tandis qu'il se dirigeait vers la salle de bains pour prendre une douche. Rassemblant les vêtements qu'il avait éparpillés, Gina sentit la forme du téléphone portable dans la poche du pantalon. Incapable de résister à la curiosité, elle le prit et fit apparaître le dernier appel reçu. Le nom qui s'afficha au-dessus du numéro ne lui était que trop familier : Dione ! Elle remit le téléphone en place, la gorge nouée. « Oh ! Mon Dieu ! Il aurait mieux valu laisser ce mobile où il était. Et ne pas savoir !... »

L'emménagement à Buena Vista se déroula sans encombre et, vers le lendemain soir, ils étaient installés dans leur nouveau foyer.

La grande chambre était d'un luxe suprême. Le petit salon attenant donnait sur un balcon qui surplombait le splendide panorama de l'océan. Gina soupira. Il lui faudrait des années pour se familiariser avec cette ville ; des années dont elle ne disposait pas.

Car bientôt, elle serait loin de Ross et de cette vie un peu trop agitée. Pourtant, jamais elle ne rencontrerait un homme capable de la combler comme Ross savait le faire, songea Gina en s'endormant ce soir-là, et en écoutant la respiration régulière de son époux.

Mais elle devait partir, dès que cela serait possible. Et cette pensée était terriblement déprimante.

10.

Cette première semaine passa vite. Une réunion du conseil
d'administration eut lieu le vendredi, à laquelle Gina fut heureuse
d'assister. Tout se passait du mieux possible pour ce qui concernait
le domaine du travail, et c'était un grand soulagement.

Ross déjeunait ce jour-là avec Isabel Dantry. Il n'avait pas
proposé à Gina de se joindre à eux, et elle n'avait pas insisté,
les questions d'investissement ne l'intéressant pas.

Avide de lui montrer les transformations qu'elle avait entre-
prises dans la suite, Elinor l'avait invitée à déjeuner à l'hôtel.
Gina eut du mal à reconnaître l'endroit. Le mobilier scandinave
avait disparu, les murs neutres du salon étaient maintenant
peints en vert émeraude et le plancher en pin couvert d'une
moquette épaisse. Des tentures de soie brochée remplaçaient
les stores aux fenêtres.

— Je n'étais pas très sûre de la couleur au début, mais Maurice
a dit qu'elle mettrait en valeur ma collection de tableaux. Ils
seront accrochés demain. Désolée d'avoir laissé toutes ces
empreintes blanches sur les murs à la villa, mais c'étaient des
cadeaux d'Oliver.

— Je comprends que vous les vouliez ici, répondit aimablement Gina. A propos, nous avons rencontré une décoratrice à la
Barbade qui a travaillé à Buena Vista. Samantha Barton ?

Elinor parut réfléchir un moment.

— Oh ! Ça y est. C'était il y a trois ans. Je l'ai employée pour décorer deux chambres. Elle travaille bien, mais Maurice fait mieux. Etait-elle en vacances ?

— Non, elle a installé son atelier là-bas et remporte beaucoup de succès, semble-t-il.

— Tant mieux.

Il était évident qu'Elinor ignorait s'il y avait eu quelque chose entre cette femme et son fils, songea Gina.

Il était plus de 15 heures quand elles quittèrent l'hôtel. Trop tard pour retourner au bureau. De retour à la villa, elle nagea dans la piscine avec Elinor, puis elles paressèrent au soleil. Quand Gina monta prendre une douche à 18 heures, Ross n'était toujours pas rentré.

Il arriva quelques vingt minutes plus tard et la retrouva dans leur chambre.

— La circulation était épouvantable ce soir, dit-il en ôtant sa veste. Et toi, Gina ? As-tu passé un bon après-midi ?

— Agréable, reconnut-elle. La suite est complètement transformée.

— J'imagine ! répondit-il en riant.

— Je suis surprise que tu ne veuilles rien changer à la villa.

— Je n'ai rien contre le décor actuel. Et comme je te l'ai déjà dit, rien ne t'empêche d'en changer si tu veux.

— Ce n'est pas mon intention, tu le sais. Juste quelques tableaux pour couvrir les murs. Pour le reste, c'est parfait.

— Tu es vraiment une femme à part, répondit-il avec ironie en se dirigeant vers la salle de bains.

Oui certainement ! pensa-t-elle amèrement. Elle portait un déshabillé noir assez transparent sur une lingerie minimaliste, mais il n'avait même pas paru s'en apercevoir !

Elle était habillée, cette fois, quand il émergea de la salle de bains. Gina eut envie d'aller vers lui, de lui glisser les bras autour de la taille et de presser ses lèvres sur son dos puissant. Une semaine plus tôt, elle y aurait cédé. Ce soir, elle laissa passer l'occasion.

Ross bouclait la ceinture de son pantalon tout en l'observant du coin de l'œil.

— C'est une nouvelle robe ?

Gina secoua la tête.

— Elle te va à ravir en tout cas, commenta-t-il. Mais tu es toujours délicieuse. Cette tenue noire que tu avais quand je suis entré a failli couper mon élan.

— Tu ne l'as pas montré, dit-elle sans réfléchir.

— J'ai été retenu pendant une heure sur l'autoroute. Je suis fatigué. Peut-être pourras-tu la remettre plus tard ?

— Je ne me déguise pas pour éveiller tes pulsions, déclara-t-elle froidement. Plus tard, il se peut que je n'en aie plus envie.

La lueur dans les yeux de Ross devint plus ardente et ne contenait pas que de l'amusement.

— J'ai toujours aimé les défis.

— Ce n'était pas…

Gina s'arrêta net et leva les mains en signe de reddition. Il était inutile de se mesurer à lui, elle devait le savoir. Il suffisait qu'il la touche pour que sa résistance fonde comme neige au soleil. En allait-il de même de toutes ses conquêtes ?

Cette pensée la ramena à l'appel de Dione. A moins de la rencontrer dans la journée, Ross n'avait pu trouver l'occasion de la revoir depuis qu'ils avaient emménagé. Sans doute la présence de sa mère à la villa le retenait-elle. Mais les travaux de décoration de la suite étant achevés, Elinor irait vivre à l'hôtel dès le lendemain, et Ross n'aurait plus à jouer les maris prévenants. Il pourrait s'absenter la nuit entière s'il le désirait.

Ce n'était pas la seule raison qui lui faisait regretter la compagnie de sa belle-mère, songea Gina. Elles étaient devenues des amies, et Elinor l'avait peu à peu impliquée dans les actions de charité dans lesquelles elle s'investissait tant. Gina était plus attirée par ces activités, elle devait l'admettre, que par le monde des affaires.

Ross, après avoir déposé un baiser sur son épaule, finit de se rhabiller.

— Avant que j'oublie de t'en parler, nous sommes invités à une première la semaine prochaine, annonça-t-il. A l'occasion du dernier film de Dione Richards. Tu devras porter une tenue à la hauteur de l'événement.

— Ne t'inquiète pas. Je ne te décevrai pas.

Ce n'était pas ce qu'il avait voulu dire, elle le savait. Comme la plupart des hommes pris à ce genre de piège, Ross ne tenta pas de dissiper cette impression et se contenta de hausser les épaules.

En d'autres circonstances, elle aurait été folle de joie à l'idée d'assister à la première d'un film, pensa Gina. Mais cette soirée-là promettait d'être une épreuve. Elle accompagnerait son mari pourtant, ne serait-ce que pour priver Dione de la satisfaction d'un refus.

— Nous devrions penser à inviter quelques personnes à dîner, maintenant que nous serons seuls ici, suggéra-t-elle afin de détendre l'atmosphère.

— Evite quand même d'organiser une soirée d'anniversaire. J'ai passé l'âge de souffler des bougies.

— Je ne connais même pas la date de ton anniversaire.

— Dans deux semaines, j'aurai trente-cinq ans. Et toi ?

— Je suis née en octobre, répondit-elle. Mon anniversaire n'aura lieu que dans trois mois.

— Si tu espères que nous serons divorcés à cette date, détrompe-toi, fit-il remarquer avec ironie. Le seul moyen d'obtenir le divorce dans un délai aussi court, c'est d'aller à Reno. Et encore, il semble que la procédure ne soit pas valide à l'étranger.

Gina le contempla en silence, l'esprit en proie au vertige.

— Combien de temps aurons-nous à attendre, alors ? s'enquit-elle finalement

Les yeux gris la fixèrent sans ciller.

— Un an, au moins.

— *Un an !*

Le regard aigu de Ross se chargea de moquerie.

— Malheureusement, j'ai bien peur que tu doives l'accepter. Ça pourrait être pire.

Comme si ce n'était pas assez difficile comme ça de vivre avec un homme qui n'éprouvait pour elle qu'une attirance physique ! Qu'en serait-il au bout d'un an ? Sans parler de Dione Richards et de ses semblables !

— Ça ne veut pas dire que je doive rester jusqu'au bout de ce délai, s'obstina Gina. Ta mère sera sans doute la seule affectée par le divorce, mais elle aura eu le temps de s'habituer si nous décidons de mener des vies séparées.

— Peut-être. Nous verrons bien.

Il laissa errer son regard vers les portes-fenêtres ouvertes sur la terrasse.

— La pluie a cessé. Que dirais-tu d'un bain au clair de lune ? Je n'ai jamais utilisé la piscine la nuit.

Ce serait un bon moyen de se calmer, après le choc qu'il venait de lui causer, se dit Gina.

— Je vais chercher les maillots et les serviettes.

— Nous n'avons pas besoin de maillots, et il y a assez de serviettes dans les placards du rez-de-chaussée.

Il s'était levé et lui tendait la main.

Les Peterson étaient allés à un concert et ne rentreraient que très tard, se souvint-elle. La pensée de nager sans entraves était une tentation trop forte pour y résister.

De fait, l'eau était comme de la soie tiède sur la peau. Gina nagea une longueur sous l'eau avant de se reposer sur les marches au bout du bassin. En contrebas, la Cité des Anges était une féerie de lumières scintillantes.

— Cette ville possède une beauté particulière, tu ne trouves pas ? déclara-t-elle quand Ross émergea à son côté.

— Toi aussi, répondit-il doucement.

Il posa ses mains sur les hanches de Gina et, la faisant glisser dans l'eau, la plaqua contre le bord pour l'embrasser avec une passion dévorante. Elle passa ses jambes autour de la taille de Ross et, sans plus attendre, il accéda au cœur profond de son être. Ses lèvres brûlantes décrivaient une ligne de feu le long de sa gorge pour trouver le creux vulnérable où battait son pouls affolé.

Elle atteignit l'apothéose dans une extase vibrante, mêlant son cri au sien, plus profond et plus âpre. Il lui agrippa les fesses pour la maintenir contre lui et la contempla de ses yeux gris presque noirs. Doucement, il la fit osciller contre lui et son sourire s'élargit quand il sentit les frissons qui la parcouraient.

Puis, il l'embrassa, plus tendrement. Elle sentait son torse lisse sous ses doigts, ses muscles au repos. Elle l'étreignit plus étroitement quand il reprit en elle sa cadence vibrante.

Plus tard, allongée sur le lit, elle revint en pensée sur les événements de cette soirée, se demandant ce qu'elle allait faire. L'homme qui venait de lui faire l'amour dans la piscine avait été différent, presque tendre. Y avait-il une chance pour qu'il fasse de cette passion quelque chose de durable ? Peut-être…

Elle interrompit brutalement ses pensées comme Ross se retournait dans son sommeil, ses mains cherchant son sein. Le nom qu'il murmura alors était indistinct, mais ce n'était certainement pas le sien.

Gina choisit une robe Versace pour se rendre à la première. Couleur or pâle, elle rappelait le style de la Rome antique avec ses bandeaux argentés autour de la taille, qui soulignaient ses seins fermes. Ses cheveux relevés en une cascade de boucles, le maquillage impeccable, elle savait qu'elle était très à son avantage.

— Oliver aurait été fier de toi, dit Ross, admiratif.

Il sortit un écrin de velours bleu du tiroir de la table de nuit.

— On dirait que j'ai bien choisi, dit-il en le lui tendant.

Gina l'ouvrit avec nervosité. Le coffret contenait un joli collier en argent martelé avec des pendants d'oreilles assortis.

— Coup de chance ou une certaine personne t'aurait-elle glissé un mot à l'oreille ? demanda-t-elle quand il lui passa le collier autour du cou.

Il se mit à rire.

— On m'a peut-être aidé, c'est vrai.

— Ross, il est parfait !

Gina se détourna et, lui enlaçant la nuque, l'embrassa, les yeux brillants.

— Merci. Tu es trop généreux pour moi.

— Nous ferions mieux d'y aller maintenant. Il ne faut pas abîmer ta coiffure.

C'était bien la dernière chose qui importait à Gina en cet instant, mais elle dut convenir qu'il avait raison. Même s'ils ne faisaient pas partie du monde du spectacle, leur nom et la fabuleuse histoire de leur mariage les plaçaient toujours sous le feu des médias.

Michael les emmena dans la limousine. Il fut convenu qu'il les attendrait après la projection pour les conduire à la soirée.

Quand ils descendirent de voiture devant le cinéma, Gina prit conscience de l'intérêt que leur histoire continuait à susciter, en voyant une présentatrice en robe de soirée s'approcher d'eux.

— Et voici le couple dont l'histoire d'amour a mis tout Los Angeles en émoi, il y a quelques semaines ! annonça-t-elle au micro. Vous avez l'air radieux ! Jolie robe, Gina. Et vous, Ross, beau comme les héros de ce soir ! Avez-vous jamais rêvé de devenir une star de cinéma ?

— Pas depuis mes sept ans, répondit-il avec humour. Bonne soirée, Sue.

Gina lui jeta un regard de biais comme ils reprenaient leur progression vers le hall du cinéma.

— Elle a raison, tu sais. Tu ferais un excellent cow-boy ! Il te manque le Stetson, évidemment.

— On ne tourne plus de westerns ici, lança-t-il, amusé.

Elle ébaucha une grimace à son intention, tandis que les flashes crépitaient, et se rappela que chaque geste, chaque expression saisis sur la pellicule seraient publiés. De là à ce qu'un journaliste en manque d'inspiration écrive que leur mariage battait de l'aile, il n'y avait qu'un pas. Serait-ce vraiment une si mauvaise chose ? pensa-t-elle, désabusée.

Sam Walker les accueillit avec sa familiarité coutumière. Dione n'était pas encore arrivée, leur apprit-il, mais ils pouvaient gagner leurs sièges s'ils voulaient échapper aux caméras.

La salle était déjà remplie de monde. Ils trouvèrent leurs places au bout d'une allée. Peu après, Dione fit son apparition, traînant dans son sillage tout un cortège d'accompagnateurs. En descendant l'allée centrale, elle fut accueillie par des acclamations enthousiastes. Gina dut admettre qu'elle était splendide dans sa robe écarlate. Le regard que l'actrice posa sur elle au passage fut froid, son sourire n'étant destiné qu'à Ross. Si celui-ci n'eut aucune réaction, Gina sentit quelque chose se crisper dangereusement au fond d'elle-même.

Elle endura les deux heures de projection sans s'intéresser au film. Quand apparut le mot « FIN », des tonnerres d'applaudissements s'élevèrent.

— Encore un succès au box-office ! se félicita Carl. Mark était bon aussi, bien sûr, mais c'est le talent de Dione qui domine incontestablement. Qu'en pensez-vous, Gina ?

— Oh ! Absolument, répondit-elle d'un ton enjoué.

Ross lui jeta un regard aigu, comme s'il avait perçu une note discordante dans sa voix, mais ne fit aucun commentaire.

La fête avait lieu dans la maison du directeur du studio, une ancienne villa des années 20. L'intérieur était original, avec la réplique du grand escalier d'*Autant en emporte le vent* et de vastes salons où se mêlaient antiquités et mobilier ultramoderne. L'espace ne manquait pas à l'extérieur non plus, dans les patios qui entouraient la piscine. Un buffet était installé, et l'on dansait un peu partout.

Se trouvant mêlée à un groupe avec Anna et Carl, Gina fit de son mieux pour suivre la conversation centrée sur les techniques cinématographiques. Ross était parti remplir leurs verres depuis un bon quart d'heure déjà. Que faisait-il ?… Dix minutes passèrent avant qu'elle ne cédât à la curiosité. Sur une excuse quelconque, elle quitta les cinéastes pour revenir vers la maison, allant de pièce en pièce en quête de Ross.

Il n'était nulle part, et Dione non plus. Gina ne parvenait plus à faire taire le soupçon qui la rongeait à présent. Elle se rappela le sourire arrogant de l'actrice dans le cinéma. Comme si elle avait été sûre de son pouvoir. Seigneur ! S'ils étaient ensemble…

La gorge nouée, elle se força à sourire pour ne rien laisser paraître de son trouble. A moins de fouiller toutes les chambres, elle ne pouvait rien faire, qu'attendre qu'il réapparaisse. Elle sursauta involontairement quand Ross, arrivant par-derrière, lui glissa les mains autour de la taille.

— Je te cherchais partout, déclara-t-il en saluant les autres d'un signe de tête. Je t'ai laissée à l'extérieur.

— Oui, il y a trois quarts d'heure, répondit-elle avec une légèreté qu'elle était loin de ressentir. Qu'est-il arrivé au verre que tu étais censé m'apporter ?

— Je n'ai pas arrêté de me faire coincer par l'un ou par l'autre…

— Tu as de la chance, Ross, observa l'un des convives avec une galanterie un peu lourde.

— Je sais. Plus que je ne le mérite !

D'une main placée au creux de son dos, Ross incitait Gina à avancer.

Mais la jeune femme avait le regard posé sur la star qui venait d'apparaître par la double porte donnant sur le hall. Dione avait l'air d'une chatte rassasiée. Pour un peu, même d'où elle était, Gina l'aurait entendue ronronner !

Furieuse, elle s'efforça cependant de paraître enchantée par la soirée. Mais elle s'ennuya mortellement à écouter des conversations interminables sur le cinéma, et joua son rôle jusqu'à la retraite générale qui s'amorça vers 1 heure. Les soirées à Hollywood ne se prolongeaient pas, car les tournages commençaient tôt.

Michael était endormi au volant quand ils se rendirent enfin à la voiture. Saisie de remords, Gina s'excusa de l'avoir fait attendre.

— Tu l'as embarrassé avec tes excuses, déclara Ross dès qu'ils furent installés à l'arrière. Il est bien payé pour ce qu'il fait et il n'est pas resté assis là tout le temps. Les chauffeurs sont nourris à l'office.

— Je n'étais pas censée le savoir, se défendit-elle. Ça me semblait cavalier, voilà tout.

— Tu as été à cran toute la soirée. Qu'est-ce que tu cherches ?

135

— Rien de particulier, répondit-elle en s'adossant confortablement, les yeux clos. Réveille-moi quand nous serons arrivés.

Il resta silencieux pendant le reste du trajet. Dès que la voiture s'arrêta, Gina ouvrit la portière et entra dans la maison sans se retourner. Tendue à l'extrême, elle gagna leur chambre.

Elle s'était couchée, quand il monta plus d'une demi-heure après elle. Au moment où il se glissa entre les draps, elle resta immobile, sentant la chaleur de son corps, respirant l'émouvant parfum de sa peau.

Le silence qui s'étirait entre eux était presque palpable. Malgré elle, Gina retenait son souffle, attendant quelque chose. N'importe quoi.

— Dors, commanda-t-il brusquement. Je ne suis pas d'humeur, moi non plus.

Cela aurait dû être un soulagement, mais il n'en fut rien, reconnut-elle douloureusement.

En dépit de tout, elle le désirait encore.

11.

Le dîner que Gina avait tenu à organiser s'avéra être un succès. Excellente cuisinière, Lydia prépara un menu d'une qualité exceptionnelle, ainsi qu'une invitée le fit remarquer.

— Si votre mari et vous avez envie de changer de maison, faites-le-nous savoir ! dit-elle à la gouvernante qui apportait le café. Il y a une loge pour le personnel, sur notre propriété.

— Nous nous trouvons très bien ici, madame, répondit Lydia. Mais j'y réfléchirai.

Cette dernière remarque lui était destinée, nota Gina. Bien qu'elle eût fait de son mieux pour se mettre en bons termes avec le personnel, Lydia restait apparemment sur ses gardes.

De leur côté, les hommes discutaient de golf.

— Vous ne jouez pas, Gina ? demanda Anna Sinden en la voyant regarder dans leur direction.

— Jamais essayé, reconnut Gina. Je sais que je suis une exception par ici.

Anna se mit à rire.

— Si vous l'êtes, alors moi aussi. Carl joue dès qu'il peut. Je ne savais pas que Ross était amateur de golf. Ils doivent jouer sur des greens différents.

A moins que ce ne soit à des jeux d'un autre genre ! pensa Gina avec amertume.

— Nous partons en croisière à la fin du mois, déclara June Rossiter, qui avait offert à Lydia de la prendre à son service. Sur le nouveau *Queen Mary*. Vous devriez vous joindre à nous, Ross et vous. Il y avait encore des cabines de luxe disponibles, la semaine dernière.

Bien qu'elle la trouvât assez sympathique, Gina ne pouvait imaginer passer plus d'un certain temps en compagnie de cette femme qui menait grand train.

— En fait, j'envisage d'aller en Angleterre à cette date, contra-t-elle. J'ai l'impression que cela fait des siècles que je n'ai pas remis les pieds là-bas.

— Seule ? demanda Meryl.

— Je pense, oui, mentit-elle. Ross a trop de travail. Quelqu'un veut-il du café ?

Ce voyage n'était qu'une excuse, mais elle pouvait difficilement l'avouer à son amie devant June Rossiter.

Le tonnerre roulait au loin quand les invités se décidèrent à partir vers minuit. Des éclairs zébraient l'horizon au sud.

— Ça s'est plutôt bien passé, qu'en dis-tu ? observa Ross, comme il revenait vers la maison.

— Je trouve aussi.

Gina ne trouva rien à ajouter. L'atmosphère de ces deux derniers jours avait été tendue. Ross paraissait peu concerné par leur conflit. Gina sentait que c'était à elle de faire le premier pas pour rétablir l'intimité conjugale.

Elle avait peut-être tiré des conclusions hâtives au sujet de sa relation avec Dione, admit-elle. Une chose en tout cas était sûre : ils ne pouvaient continuer ainsi.

— Je suis navrée, pour l'autre soir. Je te présente mes excuses, dit-elle timidement.

L'ombre d'un sourire ambigu joua sur les lèvres de son mari.

— Et moi, je ne me sentais pas d'humeur affectueuse ce soir-là. Dois-je comprendre que nous sommes réconciliés ?

— Si tu acceptes.

— Cela va sans dire.

Il glissa un bras autour de ses épaules et la fit pivoter vers lui, dans la lumière de la terrasse. Gina rencontra ses lèvres avec un certain soulagement, résolue à réprimer sa possessivité désormais. N'étaient-ils pas libres l'un et l'autre ? Si elle tenait à être avec lui, elle devait respecter cette liberté.

Meryl appela après le petit déjeuner pour la remercier de la soirée.

— Je voulais te joindre avant que tu ne partes. J'imagine que tu seras au bureau aujourd'hui ?

— En fait, je me retire des affaires, répondit Gina. J'ai beau connaître l'histoire du groupe par cœur, ça ne fait pas de moi une bonne gestionnaire. J'ai rejoint Elinor dans ses actions humanitaires.

— C'est toi qui décides, déclara Meryl avec réserve. A propos de ce voyage en Angleterre... Tout va bien, n'est-ce pas ? Entre Ross et toi, je veux dire. Je sais que ce mariage vous a été plus ou moins imposé, mais vous semblez tout faire pour qu'il tienne.

C'était le moment ou jamais d'avouer que cette histoire de voyage n'était qu'un bluff. Mais cela ressemblerait trop à une parade anti-June.

— Cela fait longtemps que je n'ai pas vu mes parents, répondit-elle, en pensant que cela au moins était vrai.

— Ne reste pas absente trop longtemps, Gina.

Etait-ce un avertissement ? Meryl savait-elle quelque chose qu'elle n'avait pas voulu lui dire tout de go ?

En raccrochant, Gina décida de ne pas s'attarder sur ces spéculations.

— Que comptes-tu faire aujourd'hui ? demanda Ross qui était allé chercher son attaché-case.

— Rien. Je vais paresser un peu.

— J'ai réservé une table pour ce soir au Spago, continua-t-il. A 19 h 30. Je te téléphonerai si je suis en retard, et tu pourras me rejoindre là-bas.

Gina refusa de se demander ce qui le retiendrait. L'essentiel était qu'il avait fait cette réservation avant leur réconciliation de la veille. Une maigre consolation, certes, mais tout de même…

Son baiser la laissa dans l'expectative et elle regretta déjà sa présence. Livrée à elle-même, elle prit un livre et descendit au bord de la piscine. Bientôt cependant, elle ne put s'empêcher de s'interroger sur l'avenir. Une fois son histoire avec Ross terminée, elle reprendrait sa vie active dans le domaine qu'elle aurait choisi…

Elle dut s'assoupir, car elle se réveilla en sursaut en entendant son nom. Elle vit Roxanne debout devant elle qui la contemplait avec un mépris non dissimulé.

— On profite bien de ce qu'on m'a volé, à ce que je vois !

— Je ne vous ai rien volé, répondit Gina en se redressant. Vous l'avez perdu.

— Où est ma mère ?

Apparemment, elle n'était pas au courant de leur arrangement. Cela allait être un nouveau choc pour elle.

— Vous la trouverez au Beverly Hills-Harlow. Nous avons échangé nos domiciles.

— *Quoi ?* s'écria sa belle-sœur, sidérée. Cette villa contre un appartement ?

— Une idée de votre mère. Ou plutôt celle de Ross au départ. Elle s'est empressée d'accepter contre une compensation appropriée, bien sûr.

En fait, Gina ignorait s'il y avait eu un quelconque réajustement financier, mais elle n'allait pas le faire savoir à Roxanne.

140

— Elle a fait redécorer la suite. Vous ne la reconnaîtriez pas.

— Espèce d'intrigante ! glapit Roxanne, les dents serrées. Vous pensez avoir tout gagné. Cette maison, Ross… N'allez pas vous imaginer que mon frère est à vous pour autant !

— Je n'imagine rien, coupa Gina tout en réprimant sa colère. Vous feriez mieux de partir.

— Oh ! Je pars, lança-t-elle, cinglante. Même si Ross vous a épousée, vous n'êtes pas de taille à lutter contre Dione, croyez-moi !

Elle n'attendit pas la réponse, et claqua la porte derrière elle. Gina n'avait rien à répliquer, de toute façon.

Elle quitta le transat et plongea dans la piscine, faisant une demi-douzaine de longueurs pour évacuer les propos blessants de sa belle-sœur. Cela ne l'apaisa pas bien sûr. Parce que Roxanne n'avait fait que confirmer ce qu'elle savait déjà.

Elle s'était déjà habillée pour la soirée quand Ross arriva. Le Spago de Beverly Hills était le meilleur endroit pour rencontrer des stars. En traversant le restaurant, Gina reconnut plusieurs visages familiers.

Ce fut seulement lorsqu'ils furent installés qu'elle aperçut Dione, assise à l'autre bout de la salle. Son partenaire, Mark Lester, l'accompagnait. Ross leur tournait le dos.

Gina baissa les yeux quand l'autre femme regarda dans sa direction, et se mit à étudier le menu. Elle ne fut pas surprise quand le maître d'hôtel arriva auprès de Ross pour lui transmettre une invitation de la part de Mlle Richards et de M. Lester. Ceux-ci les invitaient à se joindre à eux. Cependant, le cœur de Gina manqua un battement quand Ross déclina l'offre poliment, sans même accorder un regard à l'actrice.

S'était-elle trompée, après tout ? Traiterait-il de façon si cavalière une femme qu'il aimait ? A moins qu'elle n'ait fait quelque chose qui lui avait déplu ? Comme de dîner en compagnie de

Mark Lester, par exemple… N'empêche que la snober ainsi en public était la plus grave insulte qu'il pût infliger à une star de sa classe. Cela voulait-il dire que leur liaison était terminée ?

Gina eut beau se mettre en garde contre ce genre d'impressions, son moral remonta en flèche.

— Je prendrai une salade pour commencer, annonça-t-elle avec optimisme. Puis un *Rindgulasch mit Spätzlen*, même si je n'ai aucune idée de ce que c'est.

— Un ragoût de bœuf autrichien avec des pâtes, expliqua Ross en la regardant d'un œil spéculateur. Tu as l'air très animée tout à coup.

— J'ai faim.

Choquée par les menaces de Roxanne, elle n'avait en effet rien pu avaler au déjeuner.

Dione était encore à table quand ils quittèrent le restaurant. Gina ne put résister à l'envie de jeter un regard dans sa direction et reçut en retour un coup d'œil étincelant de haine. Mais elle n'en avait cure. Ross restait indifférent envers la reine du box-office hollywoodien. N'était-ce pas tout ce qui comptait ?

Ross accepta de bon gré la fête d'anniversaire qu'elle avait organisée à son intention. La belle Jaguar Type E qu'elle avait fait livrée le matin même attirait les regards des invités. Ross avait reçu son cadeau avec un mélange de plaisir et d'une autre émotion qu'elle n'avait pu définir. Peut-être pensait-il que c'était une surprise extravagante, compte tenu de leur situation, mais Gina refusait de regretter son geste.

Il attendit que le dernier convive fût parti pour lui annoncer une nouvelle.

— Une chance que j'aie été disponible pour cette jolie fête. Malheureusement, je dois me rendre à New York demain matin. Des problèmes avec les syndicats.

— Tu es obligé d'aller les régler toi-même ? demanda-t-elle.

— Il est parfois nécessaire de déployer les grands moyens avant que les conflits ne prennent trop d'ampleur.

« Je pourrais venir avec toi », faillit-elle suggérer. Mais elle réprima avec peine cette impulsion, car elle avait des engagements de son côté.

— Tu pourrais aller dormir chez ma mère ? Je sais qu'elle sera heureuse de te recevoir.

— Je serai très bien ici, répondit-elle, résolue à lui montrer qu'elle était capable de se débrouiller seule.

Il s'envola le lendemain à 8 heures. Gina espérait qu'il l'appellerait vers la fin de l'après-midi, ne serait-ce que pour lui dire qu'il était bien arrivé.

A 18 heures, elle n'avait pas reçu de nouvelles quand Elinor l'invita à dîner. Elle accepta, se disant qu'il pourrait toujours la joindre sur le portable.

— Ce sont bien les hommes ! commenta sa belle-mère en apprenant cette omission. Oliver était pareil.

Elles dînaient sur le balcon de l'hôtel dans l'air parfumé. Gina chercha très vite d'autres sujets de conversation. Elles prenaient le café quand son téléphone se mit à sonner enfin.

— J'ai essayé de te joindre à la villa. Où es-tu ? résonna la voix claire de Ross.

— Chez ta mère, répondit Gina. Il doit être tard à New York.

— 23 h 40, confirma-t-il. J'ai été débordé depuis mon arrivée.

— Comment vont les négociations ?

— Ça ne se présente pas très bien. Il faudra encore beaucoup parlementer avant d'arriver à un accord. As-tu décidé de rester à l'hôtel, en fin de compte ?

— Non, je...

Gina marqua une pause et tendit l'oreille.

— Où es-tu ? J'entends quelqu'un rire.

— C'est la femme du directeur qui est venue dîner avec nous. Nous prenons un dernier verre. J'imagine que tu seras à la maison quand je t'appellerai demain matin ?

— Oui, mais souviens-toi du décalage horaire. Ne me réveille pas à l'aube.

— Je ferai ce que je pourrai, répondit-il en riant. Bonsoir.

Il avait raccroché avant qu'elle ait pu ajouter autre chose. Mais qu'y avait-il à dire ?

— Mauvaise nouvelle ? s'enquit Elinor.

— Ils ont quelques problèmes.

— Toujours des problèmes ! s'exclama sa belle-mère, compatissante. Comme Oliver, il faut qu'il soit au cœur même de l'action. C'est à vous de le freiner, Gina.

— J'imagine trop bien sa réaction si j'essaye, biaisa-t-elle en réprimant un rire.

— Commencez toujours. Il m'a fallu des années pour avoir une influence réelle sur mon mari.

Des années qu'elle n'aurait pas, se dit-elle, le cœur lourd.

Elle quitta Elinor et, remontant Mullholland Drive, atteignit la villa sans incident. Le répondeur lui apprit qu'un appel avait été reçu à 20 h 35. Il avait donc mis cinq heures avant de trouver un moment pour lui passer un coup de fil ! Mais il est vrai qu'il avait autre chose à faire…

C'était la première nuit où elle dormirait seule depuis leur mariage. Elle eut un sommeil agité et se réveilla tôt, se sentant peu reposée. Il y avait un déjeuner organisé en faveur d'une association de malades, ce jour-là. Bien qu'elle ne fût pas d'humeur à y participer, elle n'osait pas se décommander.

N'ayant pas encore reçu d'appel de Ross, elle décida de composer le numéro de son hôtel juste avant de quitter la villa. Au bout d'une assez longue attente, le standardiste lui répondit :

— Je suis désolé, madame. M. Harlow n'est pas à l'hôtel en ce moment. Souhaitez-vous lui laisser un message ?

Gina refusa et raccrocha, en colère contre elle-même pour avoir cédé à cette faiblesse. Il était évident que Ross ne lui avait pas accordé une seule pensée depuis la veille !

Le déjeuner permit d'amasser une somme considérable. Peu après, comme elle vérifiait son portable, Gina découvrit un message de Ross. *J'ai appelé à la maison, mais tu venais de partir. J'essaierai de te parler plus tard.*

— Quelque chose ne va pas ? demanda Elinor en voyant son expression soucieuse.

Gina ébaucha un sourire.

— Rien du tout. Si nous faisions les boutiques de Rodeo Drive à présent ?

Il était plus de 19 heures quand elle rentra à la villa. Michael avait empilé le courrier du jour sur une table du hall. Gina le parcourut rapidement. La plupart des lettres étaient adressées à Ross, mais elle tomba sur une enveloppe portant son nom. Délivrée par porteur spécial, semblait-il.

L'unique feuillet qu'elle contenait s'avérait être une photocopie de la rubrique « people » d'un journal new-yorkais, dont un des articles était souligné.

« Nous apprenons qu'un séduisant hôtelier fraîchement marié était en ville hier avec un ancien flirt du septième art. Se pourrait-il qu'entre eux l'étincelle renaisse ? A moins qu'elle ne se soit jamais éteinte… »

Combien de temps Gina resta là à fixer la coupure, elle n'aurait su dire. On faisait allusion à Ross et Dione, évidemment. Et la femme qu'elle avait entendue rire hier soir n'était pas l'épouse du gérant de l'hôtel.

Quelle que fût sa raison pour snober Dione au Spago l'autre soir, il s'était arrangé pour la retrouver à New York ! Les tractations avec les syndicats n'étaient qu'une couverture.

La colère qui s'empara d'elle ne lui laissa pas le loisir de réfléchir davantage. Elle en avait plus qu'assez !

Un appel à l'aéroport lui permit de réserver un billet à destination de New York sur un vol du soir. L'avion atterrirait à 5 h 20. Elle n'avait qu'une idée en tête : la confrontation. Ce qui se passerait ensuite, elle n'en savait rien et s'en moquait pour l'instant.

Munie de son seul sac à main pour tout bagage, Gina quitta la maison. En dépit de la circulation, elle arriva à l'aéroport avec près d'une heure d'avance. Elle n'avait pas pris le temps de se changer, et portait le même tailleur vert pâle qu'elle avait revêtu pour le déjeuner. Consciente d'être remarquée parmi les voyageurs, elle avisa un miroir et se demanda comment elle pouvait paraître si calme quand elle se sentait en plein chaos.

Le vol fut long, mais sans incident. Confortablement installée en première classe, elle réussit à dormir un peu. Avant que l'avion n'amorçât sa descente, elle passa un moment dans le cabinet de toilette pour se rafraîchir et ordonner ses pensées. Ross avait beau n'éprouver pour elle qu'une attirance physique, il lui devait mieux que ça.

L'appareil atterrit avec dix minutes d'avance par une météo maussade qui convenait à son humeur. Dans le hall des arrivées, Gina remarqua un kiosque qui proposait l'édition de la veille du journal mentionné dans le fax. Il n'y avait pas eu de trucage. L'article y figurait bien.

A cette heure matinale, elle avait toutes les chances de les surprendre au lit ensemble. Ce qu'elle ferait alors, elle n'en avait strictement aucune idée.

Après une course en taxi qui lui parut interminable, elle gagna la réception de l'hôtel où plusieurs clients attendaient de régler leurs notes. Incapable de patienter, elle avisa un employé et déclina son identité.

A l'expression qui traversa les traits de l'homme, il était clair que, s'il n'avait pas lu l'article infamant, du moins en avait-il entendu parler. Comme tout le reste du personnel sans doute. Gina garda la tête haute et, une fois en possession d'une carte magnétique donnant accès à la suite, elle monta jusqu'au dixième étage.

Elle entra sans hésitation. La porte qu'elle jugea être celle de la chambre était entrouverte, mais aucun bruit ne lui parvenait. Aucune lumière non plus. D'un geste énergique, elle poussa le battant et, marchant droit vers la fenêtre, tira les lourdes tentures.

Réveillé en sursaut, Ross roula sur lui-même et se redressa, en s'abritant les yeux. Gina le fixa et sentit le tumulte de ces dernières heures s'évanouir soudain, tandis qu'elle recouvrait peu à peu son bon sens. Elle avait fait tout ce chemin pour l'affronter, sur la foi d'un ragot rapporté par un journal qui ne citait même pas de noms, et dont sa chère belle-sœur pouvait bien être l'auteur. Pourquoi n'y avait-elle pas pensé au lieu de laisser ses émotions la dominer ?

Ross la contempla d'un air ahuri avant de comprendre ce qui se passait.

— Qu'est-il arrivé ? demanda-t-il d'une voix inquiète.

La gorge terriblement sèche, Gina chercha une issue qui n'impliquât pas de révéler la vérité.

— Rien. Je suis libre pour deux jours, alors j'ai pensé à venir te rejoindre à New York. Je vais peut-être faire les magasins ici.

— Par un vol de nuit ?

— C'était une impulsion. Une folie, je sais ! ajouta-t-elle en tentant de rire.

Ross consulta le réveil sur la table de nuit. 7 h 25.

— J'avais demandé qu'on me réveille à 7 heures !

— Quelqu'un aura oublié la commission. Les têtes vont tomber, continua-t-elle sur une note légère.

147

— C'est bien possible, dit-il en repoussant les draps. Je vais prendre une douche froide. Tu veux commander le petit déjeuner pour nous deux ?

Puis il se leva, et gagna la salle de bains.

Troublée, Gina tenta de mettre de l'ordre dans ses pensées qui prenaient une autre direction. Ross n'avait certainement pas l'air d'un homme pris en faute. Dérouté pendant une minute ou deux, tout au plus. Que devait-elle en conclure ?

Ecartant pour l'heure cette question, elle retourna dans le salon, se débarrassa de sa veste et décrocha le téléphone. Elle commanda un petit déjeuner anglais pour Ross et des toasts pour elle-même.

Il ébaucha un bref sourire, lorsqu'il revint habillé et rasé de près.

— Tu as l'air remarquablement fraîche, pour quelqu'un qui a voyagé toute la nuit.

— Un avantage qu'ont les femmes, grâce au maquillage. Du reste, voyager en classe affaire n'est pas si épuisant. Je t'ai commandé le petit déjeuner complet. Tu pourras laisser ce dont tu n'as pas envie.

— Tu as changé, observa-t-il avec un sourire railleur. L'économie protège du besoin, n'est-ce pas ce que tu me disais le soir de ton arrivée ?

— Tu as trop bonne mémoire.

Un coup frappé à la porte annonça l'arrivée du service d'étage. Gina resta silencieuse pendant que le serveur roulait la desserte et dressait la table.

— Je ne sais pas trop ce que tu fais ici, mais puisque tu es là, profite de ton séjour. J'ai une réunion avec les syndicats à 9 heures. Cela risque d'être long. Tu seras seule, j'en ai peur.

Elle prit place à table et entreprit de se beurrer un toast pendant que Ross se servait. Il avait des mains merveilleuses, observa-t-elle, émue.

148

— Je ne vois pas de bagages, fit-il remarquer en jetant un regard circulaire dans la pièce.

— Je n'en ai pas, répondit-elle en se forçant à rire. Je peux tout acheter ici.

Ross secoua la tête comme s'il renonçait à trouver un sens à son comportement.

— Ma mère est-elle au courant ?

— Ma foi, non, avoua-t-elle.

Pas plus que les Peterson, aurait-elle pu ajouter. Elle aurait des explications à fournir en rentrant.

— Tu ferais mieux de lui téléphoner avant qu'elle n'appelle la police pour enlèvement.

L'étudiant avec acuité, il fut sur le point d'ajouter quelque chose mais y renonça. Il repoussa sa chaise et se leva.

— Nous parlerons plus tard.

— A quel sujet ? demanda Gina sans réfléchir.

— Au sujet de toute cette situation, répondit-il d'un ton soudain las.

Gina le regarda d'un air figé, consciente d'avoir précipité l'inéluctable. Il en avait assez, c'était évident. Elle aussi, finalement, et plus vite ils se sépareraient, mieux cela vaudrait. Ross avait laissé son attaché-case sur la chaise où elle avait posé son sac. En s'en saisissant, il renversa le sac, dont le contenu s'éparpilla sur le tapis. Il s'agenouilla et patiemment entreprit de ramasser les objets épars. Avec effroi, Gina le vit prendre le fax, puis s'immobiliser.

— D'où vient *ceci* ? demanda-t-il en se redressant.

— Je l'ai reçu hier, dit-elle d'une voix à peine audible. Je ne sais pas qui l'a envoyé.

— Eh bien ! J'ai ma petite idée, mais cela attendra. Tu as cru que c'était une preuve que j'avais prévu de rencontrer Dione ici ?

Gina eut un geste résigné.

149

— Oui...

— Depuis combien de temps soupçonnes-tu que je continue de la voir ?

Elle le regarda avec incertitude, frappée par un changement dans sa voix et son expression qui ne s'accordait pas avec ce qu'elle avait anticipé.

— Depuis le début, j'imagine.

— Il ne t'est jamais venu à l'esprit de me questionner franchement ?

— Nous étions convenus de vivre chacun notre vie, lui rappela-t-elle. Tu m'aurais répondu que ça ne me regardait pas.

— Les premiers temps, peut-être. Mais je pensais que nous avions dépassé ce stade.

— Tu veux dire que tu ne la vois plus ? demanda Gina au bout d'un long moment.

— En effet. Pas depuis notre mariage, en tout cas.

Elle sentit un espoir prudent naître au fond d'elle-même.

— Pourquoi ? murmura-t-elle.

Ross ébaucha un sourire grave.

— Je croyais que la réponse était évidente. Je me suis désintéressé d'elle quand... je suis tombé amoureux de ma femme.

Il secoua la tête avant qu'elle eût le temps de prendre la parole.

— Non, ne dis rien. Je sais que tu ne ressens pas la même chose.

A ces mots, Gina se demanda si elle devait rire ou pleurer.

— Oh, Ross ! Je t'aime depuis longtemps déjà ! J'étais dévorée de jalousie au sujet de Dione, lança-t-elle d'une voix rauque. Cela ne donne pas beaucoup d'assurance d'avoir pour adversaire une actrice adulée et célébrissime.

— Dione est un produit sophistiqué, dit doucement Ross. Pour ce qui est de la beauté naturelle, Gina, tu es incomparable.

Elle vola dans les bras qu'il lui tendait et rencontra ses lèvres avec un soulagement qui sembla chanter dans ses veines. Plus de chagrin, plus de séparation à redouter. Leur mariage pouvait enfin devenir une réalité !

— Tu vas être terriblement en retard pour ta réunion, murmura-t-elle d'une voix câline, beaucoup plus tard.

Ross déposa un baiser sur sa tempe.

— Ils peuvent tous attendre ! J'ai des choses beaucoup plus importantes à régler en ce moment.

Elle était couchée sous lui, et il contemplait ses traits comme s'il voulait les graver dans sa mémoire.

— Je n'aurais jamais pensé que tu puisses te sentir menacée par une autre, ma chérie.

— Vous, les hommes, vous nous connaissez si peu !

— Apparemment.

Il resta silencieux un long moment, occupé uniquement à la regarder. Son émotion était une joie pour Gina.

— L'expéditeur de ce fax nous a rendu à tous deux un grand service sans le savoir. Il porte la signature de Dione, mais je ne serais pas surpris que ma sœur ait trempé dans la combine. Elles ont beaucoup de choses en commun. C'est la raison pour laquelle elles s'entendent.

— Tu ne vas pas te fâcher à mort avec Roxanne, j'espère ?

— Je ne voudrais pas qu'elle ait des ennuis, mais elle aura affaire à moi si elle continue ses sales tours.

Gina sourit, ne voyant pas l'intérêt de lui raconter que Roxanne l'avait abordée au bord de la piscine.

— Je peux faire face à tout, maintenant. A tout ! Avec l'homme que j'aime, en vivant auprès d'une belle-mère délicieuse, et dans une villa somptueuse ! Si seulement tu veux bien que nous nous rendions de temps à autre en Angleterre, pour que je voie mes parents.

Il se mit à rire.

— Ma chérie ! Nous irons choisir un cottage où tu voudras lors de notre prochain voyage. Et nous y passerons tous nos étés. Les enfants ont besoin de vivre un peu à la campagne, tu sais ! Et je ne tiens pas à les priver de l'affection de leurs grands-parents !

— Les… enfants ?

— Tu veux des enfants, ou préfères-tu divorcer ? menaça-t-il, les yeux rieurs.

— Hum. A ton avis ? Cette histoire de divorce me faisait si peur… Je savais que je ne pourrais pas vivre sans toi.

— Je sais. Moi aussi. Il y a eu des moments, ces dernières semaines, où je désespérais d'arriver à ce bonheur avec toi. Surtout quand tu as eu l'air si perturbée, à l'idée que tu ne pourrais pas divorcer avant un an ! Je t'ai menti… Je n'ai absolument aucune idée du délai qu'il faut pour cela. Je voulais seulement nous accorder un peu de temps.

Il l'embrassa de nouveau, avec une tendresse bouleversante.

— Nous allons vivre un long mariage heureux, madame Harlow ! Plus de méfiance entre nous. Je n'ai jamais aimé une autre femme avant toi, tu peux me croire. Mon amour…

— Je te crois, Ross, répondit Gina avec émotion. Parce que je ressens la même chose. Dione a joué sa dernière carte et elle a perdu. Roxanne aussi. Est-ce que nous pouvons oublier toute cette histoire ?

— C'est déjà fait, ma chérie.

Chère lectrice,

Vous nous êtes fidèle depuis longtemps?
Vous venez de faire notre connaissance?

C'est pour votre plaisir que nous avons
imaginé un rendez-vous chaque mois
avec vos auteurs préférés, vos
AUTEURS VEDETTE dans les
collections Azur et Horizon.

Les AUTEURS VEDETTE vous
donneront rendez-vous pour de
nouveaux livres vedette.

Pour les reconnaître, cherchez
l'étoile... Elle vous guidera!

Éditions Harlequin

HARLEQUIN

LE FORUM DES LECTEURS ET LECTRICES

CHERS(ES) LECTEURS ET LECTRICES,

VOUS NOUS ETES FIDÈLES DEPUIS LONGTEMPS?

VOUS VENEZ DE FAIRE NOTRE CONNAISSANCE?

SI VOUS AVEZ DES COMMENTAIRES, DES CRITIQUES À
FORMULER, DES SUGGESTIONS À OFFRIR, N'HÉSITEZ
PAS... ÉCRIVEZ-NOUS À:
> LES ENTERPRISES HARLEQUIN LTÉE.
> 498 RUE ODILE
> FABREVILLE, LAVAL, QUÉBEC.
> H7R 5X1

C'EST AVEC VOS PRÉCIEUX COMMENTAIRES QUE NOUS
ALLONS POUVOIR MIEUX VOUS SERVIR.

DE PLUS, SI VOUS DÉSIREZ RECEVOIR UNE OU
PLUSIEURS DE VOS SÉRIES HARLEQUIN PRÉFÉRÉE(S)
À VOTRE DOMICILE, NE TARDEZ PAS À CONTACTER LE
SERVICE D'ABONNEMENT; EN APPELANT AU
(514) 875-4444 (RÉGION DE MONTRÉAL) OU 1-800-667-4444
(EXTÉRIEUR DE MONTRÉAL) OU TÉLÉCOPIEUR
(514) 523-4444 OU COURRIER ELECTRONIQUE:
AQCOURRIER@ABONNEMENT.QC.CA OU EN ÉCRIVANT À:
> ABONNEMENT QUÉBEC
> 525 RUE LOUIS-PASTEUR
> BOUCHERVILLE, QUÉBEC
> J4B 8E7

MERCI, À L'AVANCE, DE VOTRE COOPÉRATION.

BONNE LECTURE.

HARLEQUIN.

VOTRE PASSEPORT POUR LE MONDE DE L'AMOUR.

ROUGE PASSION

De fiévreuses histoires d'amour sensuelles!

De provocantes histoires d'amour passionnées et romantiques qu'on lit d'une seule traite. Aventureuses, parfois humoristiques, et sensuelles, elles mettent en vedette des hommes et des femmes d'aujourd'hui.

ROUGE PASSION... trois nouveaux titres chaque mois.

GEN-RP-R

<u>COLLECTION</u>
<u>HORIZON</u>

Des histoires d'amour romantiques qui vous mènent au bout du monde!

Découvrez la passion et les vives émotions qu'apportent à la Collection Horizon des auteurs de renommée internationale!

Captivantes, voire irrésistibles, ces histoires d'amour vous iront assurément droit au coeur.

Surveillez nos trois nouveaux titres chaque mois!

GEN-H-R

69 **L'ASTROLOGIE EN DIRECT**
TOUT AU LONG
DE L'ANNÉE.

(France métropolitaine uniquement)
Par téléphone 08.92.68.41.01
0,34 € la minute (Serveur JET MULTIMÉDIA).

Composé et édité par les
*éditions*Harlequin
Achevé d'imprimer en octobre 2005

BUSSIÈRE
GROUPE CPI

à Saint-Amand-Montrond (Cher)
Dépôt légal : novembre 2005
N° d'imprimeur : 52238 — N° d'éditeur : 11688

Imprimé en France